SF作家はこう考える

創作世界の最前線をたずねて

日本ＳＦ作家クラブ編

KAGUYA Books
社会評論社

ＳＦ作家はこう考える

創作世界の最前線をたずねて

目次

〈第二部〉フィクションとの向き合い方

はじめに

本書は、執筆活動をしている人、してみたい人、続けていきたい人のための手引き書です。作家たちの創作環境や思考回路、そして様々な本音を紹介しています。作家として生きていこう!と思った時に、そして実際に創作をする際に、ひとつの道標《みちしるべ》としてお役立てください。

また、作家志望ではないけれど、作家の世界に興味がある人、SF作品の射程や可能性を知りたい人にとっても、謎《なぞ》に包まれた作家の世界を知る上で、本書は参考になると思います。

〈本書の特徴〉

本書には、起伏のあるストーリーの作り方、文体の制御の仕方、キャラクター作りのための職業一覧などは書かれていません。その代わりに、六十年以上の歴史を誇る日本SF作家クラブに所属する作家たちの、リアルな体験やお悩みを多数集めました。また、そこからさらに踏み込んで、フィクションとの向き合い方についても論じています。専業の作家として食べていくことが難しい社会で作家たちはどのように生きているのか、プロの作家たちにとってフィクションを書くという行為はどのような意味を持ち、それをどう実現しているのか。十七名の作家・書評家から見えている景色を紹介します。

〈第一部〉　作家のリアルとそこで生きる術

最初の対談「SF作家のリアルな声」では、五名のプロの作家たちが作家としてデビューした経緯や近年の出版事情などを語ります。大森望《おおもりのぞみ》「SF作家になるには」では、SF作家を目指す人のために、作家になる方法を網羅《もうら》的に紹介します。コンテストに応募する際には、ぜひ門田充宏《もんでんみつひろ》「戦略的にコンテストに参加しよう」を読んで戦略を練ってください。〈日本SF作家クラブの小さな小説コンテスト〉で通算二千本以上の応募作を読破した門田さんが、そこで得た知見をまとめたものです。

〈第二部〉　フィクションとの向き合い方

宮本道人《みやもとどうじん》「え？　科学技術とＳＦって関係あるんですか？　本当に？」では、実際の事例に触れながら、科学技術とＳＦの関係を紹介しています。対談「ＳＦと科学技術を再考する」は、科学技術に関連した職業と作家という二足の草鞋《わらじ》を履《は》いた五名の作家たちの対談です。資料や科学的な知識の活かし方、兼業作家の苦労や楽しみなどについて赤裸々《せきらら》に語っています。インタビュー「〝社会〟の中でフィクションを書く」では、四名の作家にフィクションを書くことと社会との向き合い方についてお話しいただきました。最後に、そのうちの一人である近藤銀河《こんどうぎんが》さんに、「過去に描かれた未来　マイノリティの想像力とＳＦの想像力」と題して社会の中でＳＦ的な想像力が持つ可能性と責任について論じていただきました。

なぜフィクションを書き、そこにどんな魅力を見出すのかは作家によって異なります。フィクションとの様々な向き合い方を知り、自分自身の創作に対する姿勢を相対化してみましょう。そんなふうに一歩引いたところから捉《とら》え直すことで、創作活動を一段階飛躍させることができると思います。

〈コラム〉　小説にかかわるお仕事

創作や小説にかかわる職業というのは作家だけではありません。編集者、イラストレーターやデザイナー、翻訳者、校閲者、校正者、印刷会社や紙の会社、流通、書店……。小説とかかわる仕事がしたい人のために、これらのうちのいくつかを紹介するコラムを載せています。コラムのひとつでは「ＳＦの想像力を社会へ」と題して、『WIRED』の編集者、小谷知也《こたにともなり》さんに、雑誌編集を通して見えてきたＳＦ作家の持つ力についてお話を聞きました。

巻末には、日本ＳＦ作家クラブの会長である大澤博隆《おおさわひろたか》さんから、これからの書き手に向けてのメッセージを寄せてもらいました。本書が少しでも、創作にかかわる人、興味のある人のお役に立てたら嬉《うれ》しいです。

第一部　作家のリアルとそこで生きる術

SF作家のリアルな声

日本SF作家クラブの五名の作家が、デビューまでの経緯やその後の苦労、近年の出版事情、商業出版と同人誌の違いやそれぞれの魅力、自身が参加しているコンテストなどについて語ります。一口に〝作家〟と言っても、長編小説を書いて刊行するという以外にも様々な活動があります。現代に生きる、バラエティに富んだ作家たちの姿を紹介します。

揚羽はな（あげは・はな）　医療機器・体外診断用医薬品の薬事コンサルタントのかたわら、執筆活動を開始。二〇一九年、日経「星新一賞」の優秀賞を受賞。二〇二二年、日本SF作家クラブ事務局長に就任。

粕谷知世（かすや・ちせ）　二〇〇一年、『クロニカ　太陽と死者の記録』で第十三回日本ファンタジーノベル大賞受賞。ほかに『終わり続ける世界のなかで』（新潮社／二〇一二）などがある。

十三不塔（じゅうさんふとう）　二〇二一年、『ヴィンダウス・エンジン』で第八回ハヤカワSFコンテスト優秀賞を受賞。小説の執筆の他、お芝居やラジオドラマの脚本の執筆もしている。専門学校講師。

櫻木みわ（さくらき・みわ）　タイ、東ティモール滞在などを経て、ゲンロン 大森望 SF創作講座の第一期受講生。講座で執筆した短編等を収録した『うつくしい繭』（講談社／二〇一八）でデビュー。

藍銅ツバメ（らんどう・つばめ）　一九九五年生。徳島大学総合科学部卒業。「めめ」で第四回ゲンロンSF新人賞優秀賞受賞。二〇二一年、『鯉姫婚姻譚《こいひめこんいんたん》』で日本ファンタジーノベル大賞を受賞。

●デビューへの道のり

揚羽はな（以下、揚羽） まず皆さん、デビューの方法を教えてください。私は、日経「星新一《ほししんいち》賞」で優秀賞をいただいたのが二〇一九年で、その後にVGプラスのKaguya Planet[*1]というウェブマガジンで短編を書かせていただき、デビューをしました。

藍銅ツバメ（以下、藍銅） こんにちは。藍銅ツバメです。二〇二一年に日本ファンタジーノベル大賞という賞をいただいて、『鯉姫婚姻譚』[*2]でデビューして、そこから作家活動をしています。ちまちま雑誌に短編が載ったりしています。

十三不塔（以下、十三） こんにちは。十三不塔と申します。今日は名古屋から来ました。僕は早川書房の第八回ハヤカワSFコンテストで優秀賞をいただいて、それからあちこちで作品を発表させていただいております。

櫻木みわ（以下、櫻木） 櫻木みわと申します。よろしくお願いします。私は大森望[*3]さんが主任講

＊1　Kaguya Planet
VGプラスの運営するSFのウェブマガジン。毎月SF短編小説をウェブに掲載。
https://planet.kaguya-sf.com/

＊2　藍銅ツバメ『鯉姫婚姻譚』（新潮社／二〇二一）

＊3　大森望（おおもり・のぞみ）
SF書評家、翻訳者、アンソロジスト。本書では、30ページ「SF作家になるには」を執筆している。

師をされている、ゲンロン 大森望 ＳＦ創作講座[*1]の第一期生で、その講座で提出した作品を読んだ編集者の方に声をかけていただいて、二〇一八年に『うつくしい繭[*2]』でデビューしました。

粕谷知世（以下、粕谷）　粕谷知世と申します。デビューは、さっきの藍銅さんと同じ、日本ファンタジーノベル大賞です。第十三回に南米のインカ帝国の話『クロニカ　太陽と死者の記録[*3]』で大賞を受賞しました。歴史小説、ファンタジー、現代小説など色々書いていますが、ＳＦということでは、『ＡＩとＳＦ[*4]』など日本ＳＦ作家クラブ編のアンソロジーに参加したり、SF Prologue Wave[*5]に半年に一回か、三ヶ月に一回くらいのスパンで掌編を載せてもらっています。

揚羽　ありがとうございます。今、お話を聞いた中で、藍銅さん、十三不塔さん、粕谷さんが出版に直結するコンテストで賞を取ってデビューをしています。私と櫻木さんはそういうルート以外からデビューしているわけですけれども、それぞれデビューした時の雰囲気を教えてもらってもいいですか。

粕谷　デビューは二〇〇一年なのですが、その頃《ころ》はＳＦ系の賞がほぼなくて、長編を書いて日本ファンタジーノベル大賞に応募するっていうのが、ＳＦ、ファンタジー系の人がデビューしやすいルートでした。ＳＦ系では、私のほかにも、例えば第四回受賞の北野勇作[*6]さん、第七回受賞の藤田雅矢[*7]さんがそうだったと思います。

櫻木　ゲンロンＳＦ創作講座は今（二〇二三年）は第七期で、受講生の皆さんが大変活躍されていて、認知度も高まってると思うんですけど、私は第一期生だったので、そこから急に本になるってどういうことだみたいに驚かれました。創作講座で講師をしている編集者の方にも、それは滅多にないことですよと言われたりもして、自分もそんなことあるのかなと半信半疑な感じでしたね。

　コンテストを経ていないことの苦労について聞かれたので少し付け加えますと、デビューしてすぐの頃《ころ》、ある文芸誌の編集者に、新人賞を取っていない無名の書き手は注目されにくいから難しい、と言われたことがありました。実際に職業作家になると、ホームやお墨《すみ》付きがないことの心細さは

＊1　ゲンロン 大森望 ＳＦ創作講座の詳しい紹介は40ページへ。

＊2　櫻木みわ『うつくしい繭』（講談社／二〇一八）

＊3　粕谷知世『クロニカ　太陽と死者の記録』（新潮社／二〇〇一）

＊4　日本ＳＦ作家クラブ編『ＡＩとＳＦ』（ハヤカワ文庫ＪＡ／二〇二三）

＊5　SF Prologue Wave　日本ＳＦ作家クラブ公認のスペキュレイティブ・フィクション専門のウェブマガジン。中短編のＳＦ小説やインタビュー等を掲載。

＊6　北野勇作（きたの・ゆうさく）一九六二年生まれ。小説家、役者。一九九二年に『昔、火星のあった場所』で第四回日本ファンタジーノベル大賞優秀賞受賞。

＊7　藤田雅矢（ふじた・まさや）小説家、植物育種家。農学博士。一九九五年『糞袋（くそぶくろ）』で第七回日本ファンタジーノベル大賞優秀賞受賞。

あって、その分ひとつひとつの仕事にとにかく全力で取り組んでいる感じです。今のところ、幸運にもいろんな編集者の方からお声がけいただいてるので、本当にありがたいですし、恩返しできるように頑張りたいといつも思ってます。

十三 僕はですね、今四十歳過ぎてるんですけど、二十四歳の時に雑誌『群像』で新人賞をいただきました。純文学作家になりたかったんですよ。ただ、賞を取ったはいいのですが、あまり実力が伴っていなかったという部分がありまして、その後に作家としてうまく滑り出すことができませんでした。で、小説を読んだり書いたりすることから十年以上離れて、全く違うことをやったりしていました。

それまでは、純文学原理主義者でそれ以外は認めないみたいな感じだったのですが、お話というか物語の面白さをミステリーとかSFとか歴史小説とかいろんなジャンルで純粋に楽しいなと思えるようになった時に、改めて、SFを書きたいなと思いました。

それで、小説投稿サイトの〈カクヨム〉に色々書いたりしていました。ちょこちょこ反応がもらえたりするだけで十分楽しかったし、コメントし合ったりする同好の士と出会えて、それだけで結構満たされていたんですけど、むくむくと一発世に打って出てやろうみたいな野心が出てきました。それで第七回ハヤカワSFコンテストに〈カクヨム〉で書いた小説を送ったんですよ。

今回の話に繋《つな》げて言うと、新人賞とかコンテストには運の要素がかなりあります。なので、プロとアマの違いは意外とグラデーションなのかなと思います。いろんな出版の形態や発表の場ができてきていることによって、そもそもその垣根なんてなかったことがはっきりしてきているという感じにも受け取れますよね。コンテストや新人賞のタイトルを持ってない人でも良いものは良いし、素晴らしい書き手はたくさんいますので、そこらへんが日の目を見る今の時代はとっても良いなと思っております。

藍銅 私はさっき言ったように、日本ファンタジーノベル大賞からデビューしたのですが、その前に櫻木さんも受講されているゲンロンSF創作講座の第四期に通っていました。そこで勉強したことを活かして、卒業後に賞やコンテストにどんどん応募していって、なんとか引っかかったのが日本ファンタジーノベル大賞です。最初はホラーの賞に出していたのですが、ファンタジーでもいいのではないかとふと思いついて出してみたのがうまくかみ合ったみたいですね。

　結果発表があったのが二〇二一年十一月で、実際に単行本が出たのが翌年の六月なのですが、その間に短編小説を『小説すばる』という雑誌に載せてもらっています。寄稿の依頼は、ゲンロンＳＦ創作講座の卒業生がやっている『Sci-Fire』という同人誌経由で連絡が来ました。なのであれは賞を取ったから依頼をくれたのか、それとも賞は関係なく『Sci-Fire』経由で依頼をくれたのか、どっちだったのだろうなと思っています。

揚羽　私も、ゲンロンＳＦ創作講座の出身なんですけれども、かなりの数の受講生が『小説すばる』に書かせてもらっています。一般の文芸誌なのですが、コンテストや新人賞で受賞した人だけではなくて、特に若い人たちのＳＦ小説を載せてあげようという感じで載せてくれているところです。

　私が賞をもらったのは第六回日経「星新一賞」の優秀賞でした。星新一賞は出版に結びつく賞でもなんでもないんです。星新一の次女である星マリナさんが「賞を始めるときには『青春の思い出』程度になればいいと思っていた」とおっしゃっていたぐらいですから。それでも、その後小説家としてデビューされた方は何人もいらっしゃって、日本ＳＦ作家クラブにも八名の受賞者がいます（二〇二三年八月現在）。

　受賞した「Meteobacteria」はゲンロンＳＦ創作講座の課題を改稿したものです。ＳＦ創作講座では、毎回、受講生が提出した梗概《こうがい》（あらすじ）の中から三作程度が選ばれます。「Meteobacteria」のもととなった小説は、初めて梗概《こうがい》が選出され、実作を書いたものでした。実作講評のタイミングが星新一賞の締め切り十日前ぐらいでしたから、いただいた指摘をもとに、勢いで改稿して応募したと記憶しています。ＳＦ創作講座の作品は規定が二万字だったので、星新一賞の応募要項（一万字）に合わせて、ザクザク削りました。

　ゲンロンＳＦ創作講座は、受講生の作品をウェブで全文読むことができます。それを読んでくださったVGプラスが、Kaguya Planet というウェブマガジンを始める時に、「初回に書きませんか」という連絡をくださって書かせていただいたのが、最初に対価をもらって書いた小説です。その時に一緒に書かせていただいた中に藤井太洋[*1]さんがいらっしゃって、日本SF作家クラブに入らないかとお誘いいただきました。私なんかが入ってもいいんですか、みたいな感じだったんですけど、ここで断ったらもう絶対こんなチャンスはないだろうと思って入れていただきました。

　Kaguya Planet のような新しいメディアが出てくると、私たちみたいに書き始めて間もない人たちにも活躍の場をいただけるので、作家としてはすごく嬉《うれ》しいことだと思っています。

●同人誌での活動

揚羽　商業誌での活動の他にも、皆さん同人誌を結構作っていまして、文学フリマという文芸の即売会があるんですけれど、そういうところで出していたりします。皆さんに、それぞれやっている同人誌の活動について聞いていきたいと思います。

　私は先ほどから何度も話に出てきているゲンロンSF創作講座の受講生が作っている『Sci-Fire』という同人誌に載せていただいています。もうひとつ、SF創作講座の受講生七名で「能仲謙次武見倉森揚羽はな菊地和広渡邉清文稲田一声」というすごい名前でハヤカワSFコンテストに応募した企画があって、その応募作『トランジ』を改稿して、昨年（二〇二二年）の秋に同人誌にして発行しました。このメンバーの中には、創元SF短編賞の最終候補に残ったメンバーも複数人おり、結構がんばって作っています。

櫻木　私は『Sci-Fire』には立ち上げからいました。ゲンロンSF創作講座の第一期生に、新潮新人賞などの受賞者で、オンライン文芸誌〈破滅派[*2]〉を作って出版事業もしている高橋文樹[*3]さんという方がいます。その高橋さんが、講座を卒業する時に同人誌を作ろうと呼びかけて、有志を募《つの》って『Sci-Fire』を始めました。ゲンロンSF創作講座の素晴らしいところは、大森望さんや講師の作家の方々がい

＊1　藤井太洋（ふじい・たいよう）
二〇一二年、電子書籍で自主出版した『Gene Mapper』が注目を浴び、翌年早川書房からデビュー。第十八代日本SF作家クラブ会長。

＊2　破滅派
二〇〇七年から活動するオンライン文芸誌。作品の投稿ができる他、雑誌『破滅派』の刊行や、会員の書籍の出版を行っている。
https://hametuha.com/

＊3　高橋文樹（たかはし・ふみき）
二〇〇七年に『アウレリャーノがやってくる』にて第三十九回新潮新人賞を受賞。株式会社破滅派代表。

らっしゃることです。自分たちで始めた同人誌にも、インタビューや作品で協力していただけました。講座の先生方が眩《まぶ》しいような方たちなので、結果的に多くの方に同人誌の作品を読んでもらえたんだろうなと思っています。ここ数年は、二期から四期の受講生の甘木《あまき》零《こぼる》さんが編集長を務めてくださっています。

　同人誌は好きなことが色々できるのがいいなと思っています。今、自分はいろんな商業誌などで書かせてもらっていますが、同人誌は自分がやってみたい企画や挑戦もできるのが面白いと思ってます。『Sci-Fire』に掲載した、大森望さんに受講生が作家としてどのように生き残っていったらいいかを聞いた「SF作家になる方法 補習編」や、飛浩隆[*1]さんにインタビューした「働きながら書き続ける10の方法」などは、自分が知りたくて立てた企画です。藤井太洋さんからフラッシュフィクションのことを教えていただいたときに自分も書いてみたり、世界SF大会[*2]で出会ったYKユーン（Y.K.Yoon）さんという作家の短編を載せようと、初めて翻訳をしたりもしました。

　いつか短い漫画を描いてみたいので、三年後か五年後くらいにゲンロン ひらめき☆マンガ教室[*3]を受講して、『Sci-Fire』に漫画を描くという夢を持っています。

藍銅　『Sci-Fire』には私もここ数年参加させてもらっています。最近はイカが襲ってくるぞというイカの陰謀論の話を寄稿しました。私は最近漫画を趣味で描いてるので、今年（二〇二三年）は漫画を載せてもらおうかなと思っています。『Sci-Fire』以外だと、十三不塔さんも一緒だったのですが、猫の同人誌を今年の五月に出しました。

十三　そうですね。作家の人間六度[*4]くんが旗振りをしてくれて、猫SFアンソロジー『猫についての話』を七名の作家で作りました。

藍銅　人間六度さんが用意してくれた分は文学フリマ東京の会場で結構すぐはけて、もっと持ってくればよかったなという話をしたくらいなのですが、このペースだともうネット通販分もはけてるんじゃないかなという感じですね。あと、次の十一月にある文学フリマ東京では、『うさぎSFアンソロジー ウはうさぎさんのウ』に参加します。

＊1　飛浩隆（とび・ひろたか）
SF作家。『象（かたど）られた力』（ハヤカワ文庫JA）と『自生の夢』（河出書房新社）で二度の日本SF大賞を受賞。兼業での執筆を続けている。

＊2　世界SF大会
The World Science Fiction Convention（通称：ワールドコン）年に一回開催される、SFファン主導のイベント。SFにまつわる様々なパネルディスカッションや、ヒューゴー賞の発表が行われる。

＊3　ゲンロン ひらめき☆マンガ教室
評論家・マンガ原作者のさやわか氏が主任講師を務めるマンガ家育成スクール。

＊4　人間六度（にんげん・ろくど）
作家。本書では119ページ「〝社会〟の中でフィクションを書く」に参加している。

ウサギに関するＳＦばっかりぎっしり詰まっている同人誌です。

　商業では出すのを躊躇《ためら》うような話も気軽に出せるのが同人誌の良いところですね。『猫についての話』に載せてもらった作品は普段商業に出しているものと比べるとかなり語り口が軽くて毒の効いた話になっています。『うさぎＳＦアンソロジーウはうさぎさんのウ』の方には、プロデビューしていない頃《ころ》に書いたかなり考えの偏った話を載せてもらっています。どちらも同人誌じゃないと出せないのでいい機会をもらえて良かったです。

十三　僕は藍銅ツバメさんがおっしゃった『猫についての話』にも参加していますし、『Sci-Fire』も二〇二二年に参加しています。その時の『Sci-Fire』は「陰謀論／インフレーション」というテーマで全員が書いていました。どちらで書くかは選べたのですが、僕はインフレーションで書きました。クオリティも高いですし、老舗《しにせ》というか、元々ゲンロンＳＦ創作講座の有志で作られた雑誌で歴史も長いですよね。今は、ゲンロン以外の方にもオファーをして、書いてもらっています。表紙もかっこいいですね。

　逆に新しめの同人誌でいうと、邸和歌《やしきわか》くんという人が中心になってゲンロンＳＦ創作講座の五期生の方が作っている『５Ｇ』という同人誌があって、それには「絶笑世界」という、お笑いタレントというか、お笑い芸人にまつわるＳＦを書かせていただきました。「絶笑世界」は大森望さんが読んで『ベストＳＦ２０２２』[*1]に転載してくださりました。同人誌に掲載した作品にも色々なチャンスがある文化はなかなかすごいなと新鮮でした。『５Ｇ』は六期生、七期生の方とも作ってるみたいなので次の文フリには多分出ると思います。ぜひよろしくお願いします。

粕谷　同人誌ではないのですが、それに一番近いと思うのは『万象』[*2]です。ご存じの方もいらっしゃるかもしれませんが、ちょっとご紹介すると、まず、二〇〇四年頃《ころ》に日本ファンタジーノベル大賞の受賞者有志でリレー小説を書いたり、同じテーマで作品を書いてみましょうというプロジェクトがありました。その頃《ころ》中心だったのは佐藤哲也[*3]さんです。その『現象』というプロジェクトは、集まっ

＊1　大森望編『ベストＳＦ２０２２』（竹書房文庫／二〇二二）《ベストＳＦ》シリーズには、前年に発表されたＳＦ短編小説の中から、大森望が選んだもっとも面白い作品が収録される。

＊2　『万象』（惑星と口笛ブックス／二〇一八）

＊3　佐藤哲也（さとう・てつや）一九九三年、「イラハイ」で第五回日本ファンタジーノベル大賞の大賞を受賞しデビュー。

た作品のいくつかが『NOVA』初巻*1に採用されたりもしたのですが、そこで一旦《いったん》終わりました。

　その後、日本ファンタジーノベル大賞は二〇一三年に一回休止になって、二〇一六年に復活したのですが、賞を偲《しの》ぶ会や復活を喜ぶ会と称して何人かの受賞者が集まったり、第十四回に大賞を受賞した西崎憲*2さんが電子書籍のレーベル〈惑星と口笛ブックス〉を立ち上げられたりするなかで、斉藤直子*3さんが西崎さんに『現象』のリブート版を発案されて、二〇一八年に『万象』が出ました。第二弾は、筒井康隆《つついやすたか》さんの『七瀬ふたたび』*4を意識した『万象ふたたび』*5というタイトルで二〇二一年に刊行していて、もうすぐ『万象3』が出ます。*6

揚羽　『万象』以外に、ファンタジーノベル大賞の受賞者の繋《つな》がりがあってよかったなと思うことはありましたか。

粕谷　日本ファンタジーノベル大賞では授賞式に過去の受賞者も招かれますので、そのときに連絡先を交換したりします。また、新年会（一月でなくても一年通して新年会です（笑）。）という名の飲み会が幹事持ち回りで開かれています。私のように二十年以上前の受賞者もいれば、近年の受賞者もいらっしゃって、コロナ禍でオンライン化しましたが、またリアルで出来るのを楽しみにしているところです。他の賞の事情はよく分かりませんが、以前、受賞者同士の関係がここまで密なのは珍しい、と編集者さんに言われたことがあります。

　それぞれの創作方法をうかがったり、編集者さんとの付き合い方を伝授してもらったりできるので、よかったことはたくさんあります。頑張って書いている人が他にもいるのだということが肌身で感じられて、長い時間をかけて長編を書き進めている時には特に励まされます。

●短編小説の盛り上がりと広がり

揚羽　粕谷さんがデビューされた二〇〇一年頃《ころ》と、今の状況で、出版や創作をめぐる環境で大きな違いはなにかありますか。

粕谷　電子出版とかネット上での出版ができると

＊1　大森望責任編集『NOVA1　書き下ろし日本SFコレクション』（河出文庫／二〇〇九）

＊2　西崎憲（にしざき・けん）小説家、翻訳家、作曲家。フラワーしげる名義で歌人としても活動している。〈惑星と口笛ブックス〉を主催している他、日本翻訳大賞の運営・選考等、幅広く活動している。

＊3　斉藤直子（さいとう・なおこ）二〇〇〇年、「仮想の騎士」で第十二回日本ファンタジーノベル大賞の優秀賞を受賞。

＊4　筒井康隆『七瀬ふたたび』（新潮社／一九七五）

＊5　『万象ふたたび』（惑星と口笛ブックス／二〇二一）

＊6　後日追記：『万象3』は二〇二三年十二月に刊行された。

いうことが、全然違うと思います。

　あとは短編。短編小説が世に出せる。もちろん、注文があって紙の雑誌に短編を書くというのは以前からあったと思うんです。ただ単著で単行本を出すということを考えると、新人の短編集って例が少なくて、デビューした後の第二作はとにかく長編を書くというような感じでした。それで、二作目が書けなくて泣いちゃうっていう……。私自身もそうだったのですが、二作目の壁がすごく高かった感じがあったので、短編を世に出せるという意味で、ずいぶん変わってきたなと思います。私個人の印象ですが。

　それから、読んだ感想とかコメントも、今だとネットでいただけるんですけど、私がデビューした頃《ころ》はお葉書でした。デビュー作は読者からお葉書をいただいたなってね。今思い出しました。

十三　葉書、もらったことないですね。悔しい。

揚羽　短編といえば、日本ＳＦ作家クラブ編のアンソロジーとして、二〇二三年現在、早川書房から三冊の書籍が出ています。二〇二一年に出版された『ポストコロナのＳＦ』[*1]は、歴史の記録を意図して制作されたと聞いています。パンデミックの渦中でＳＦ作家は何を思い、どのような作品を記《しる》したのか、その記録を残すことは意味があるのではないかと考えたそうです。その後の『２０８４年のＳＦ』[*2]や『ＡＩとＳＦ』は、テーマを早川書房との打ち合わせで決め、執筆依頼をしています。ＳＦ作家クラブ内の公募で若干名の執筆者を選出してもいます。

　アンソロジーの提案は、第十九代会長の林譲治[*3]さんが早川書房の塩澤快浩《しおざわよしひろ》さんに提案し、理事会に報告、承認ののちに進めています。初回は第十八代会長の藤井太洋さんにご相談されたそうで、その後、第二十代会長の池澤春菜[*4]さん、現会長の大澤博隆[*5]さんと、歴代の会長が関わることになりました。

　またこの後も、日本ＳＦ作家クラブ編で『お仕事ＳＦアンソロジー』というアンソロジーを刊行予定です。皆さんそれぞれ、どんな作品を寄稿しているかちょっとずつ説明してもらってもいいですか。

粕谷　日本ＳＦ作家クラブ編の『２０８４年のＳ

＊1　日本SF作家クラブ編『ポストコロナのSF』（ハヤカワ文庫JA／二〇二一）

＊2　日本ＳＦ作家クラブ編『２０８４年のＳＦ』（ハヤカワ文庫ＪＡ／二〇二二）

＊3　林譲治（はやし・じょうじ）作家。二〇一八年から二〇二〇年まで日本ＳＦ作家クラブの会長を務める。《星系出雲の兵站》シリーズ（ハヤカワ文庫ＪＡ）で第四十一回日本ＳＦ大賞を受賞。

＊4　池澤春菜（いけざわ・はるな）声優、作家、エッセイスト。二〇二一年に小説家デビュー。その後精力的に短編小説を発表。二〇二〇年から二〇二二年まで日本ＳＦ作家クラブの会長を務めた。

＊5　大澤博隆（おおさわ・ひろたか）慶應義塾大学サイエンスフィクション研究開発・実装センター所長。二〇二二年から日本ＳＦ作家クラブの会長を務める。本書ではこの対談に参加し、あとがきを執筆している。

F』には「黄金のさくらんぼ」という、人が自分の視点からの動画を二十四時間撮り続けて周りの人にもそれを見せるという時代を経て、それがもう廃《すた》れてしまった世界の話を書いています。『AIとSF』掲載の「愛の人」は、感情のケアをできるようになったAIとの交流の話です。

思いついたアイデアをすぐに使えて、反応や感想も即いただけるのが、長編にはない短編小説ならではの楽しさです。料理に例えるなら、釣った魚をその場でさばいて刺身をつくるのが短編、色々な具材をぐつぐつ煮込んでいくのが長編という感じです。

櫻木　一番最初に参加したアンソロジーは、溝《みぞ》口力丸《ぐちりきまる》さんが編集された『百合SFアンソロジー　アステリズムに花束を』[*1]です。ゲンロンSF創作講座の二期生の麦原遼[*2]さんと一緒に、共作で書きました。共作の作業も面白かったですし、SF作品を他の作家の方たちと一緒に書籍に載せてもらったのが初めてで、すごくドキドキしたのを覚えています。最近だと『2084年のSF』に、今住んでいる琵琶湖《びわこ》の中の島の五十年後という設定で「春、マザーレイクで」という短編を書きました。この作品は十三不塔さんの作品と一緒に、日経新聞に掲載された日本ガイシの広告に採用されました。

それぞれの本文の一部引用とあらすじと、イラストレーターのYOUCHAN[*3]さんによるビジュアルイメージが掲載されています。そこにコメントをつける形で、作中に出てくる未来の道具や技術が、日本ガイシの技術によってどのように実現し得るかが紹介されている広告です。

広告に二次利用されるということも、短編を書かせてもらったからこそ起きたことだと思っています。SFプロトタイピング（後述）なども流行っているので、SF短編は企業や社会に接続するいろんな広がりがあると思います。短くて読みやすいとか、未来を考えることのひとつの起爆剤になり得るとか、そういうことの結果として需要が高くなっているのかなと考えています。

『お仕事SFアンソロジー』では、私が最近イノシシに魅了されているので、めちゃくちゃ泳ぐのが速いイノシシが登場するお仕事SFを書いてい

＊1　『百合SFアンソロジー　アステリズムに花束を』（ハヤカワ文庫JA／二〇一九）

＊2　麦原遼（むぎはら・はるか）作家。本書では90ページ「SFと科学技術を再考する」に参加している。

＊3　YOUCHAN（ユーチャン）イラストレーター。日本SF作家クラブ会員。SFやミステリ小説の装画や子供向け書籍のイラストを多数手掛けている。

ます。

十三　僕は『２０８４年のＳＦ』に、京都を舞台にした、「至聖所」という記憶をめぐる作品を書きました。早川書房の編集者の溝口さんから、書かないかとおっしゃっていただいて書いたものだと記憶しております。

『ＡＩとＳＦ』では作家クラブ内でコンペっぽいものがありましたよね。作家クラブ内で『ＡＩとＳＦ』の取りまとめをしてくださっていた林譲治先生が、アンソロジーに書きたい人を募《つの》ってくださって、そこにあらすじのようなものを出しました。それで、いいんじゃないですかとなって書いたという経緯です。(アンソロジーによって)ちょっと成り立ちが違いますね。

『ＡＩとＳＦ』に関しましては、どうせＡＩに詳しい作家さんも書かれるんだろうなと思ったのですが、僕はＡＩには詳しくなくて、テクノロジーの細かいことは書けないので、全然違うものを書こうと思って、鎖鎌《くさりがま》に魂が宿るっていう時代劇にしました。日本には九十九神《つくもがみ》というものが昔からありますけれども、作中ではＡＩが鎖鎌《くさりがま》に宿っていて、それがＡＩだという知識が失われているずっと未来の話です。人間と道具のコラボレーションは果たして存在できるのかということとか、道具を作るということとかがなんとなくうっすらバックにあります。でも、基本的にはエンタメっぽいちゃんばらものみたいな感じのストーリーです。おかげさまで結構売れてるみたいでありがたいです。

『お仕事ＳＦアンソロジー』は、去年（二〇二二年）に作家クラブに入会した新しいフレッシュなメンバーを中心に一冊のアンソロジーを作るという企画です。僕は、デスゲームの企画をする人たち、裏方の話にしました。「デスゲームディレクション」というタイトルで、作中人物たちがどういうゲームにしようとか、どうしたら楽しいだろうかみたいなことを考える。

短編は、結構パンチがあるものを書けば、作家の名刺代わりになると思いますので、そういう意味でもありがたいです。

藍銅　私が初めてアンソロジーに載せてもらった短編は、二ヶ月くらい前に刊行した『ＮＯＶＡ

２０２３年夏号』[*1]の「ぬっぺっぽうに愛をこめて」という作品です。中国から来たという説もある、ぼやぼやの歩く肉まんじゅうみたいな日本の妖怪《ようかい》がいるんですけど、それを小学校五年生の女の子が切り分けておじやに入れて、お父さんに食べさせてあげるという短編です。

『お仕事ＳＦアンソロジー』には、デスゲームと真逆のほのぼのした作品を書いています。私、数ヶ月くらい前まで図書館で働いてたんですけど、図書館で働いていた時にぬいぐるみお泊まり会というイベントがあったんですね。子どもたちからぬいぐるみを預かって、ぬいぐるみを一晩図書館に泊めて、その様子を写真で撮って、写真を翌日子どもたちにプレゼントするみたいなイベントがあって、それを題材にしたおしゃべりぬいぐるみファンタジーみたいな作品にしました。

他の作家の人がどんな話を書いたのかはまだ知らないので、アンソロジーという形で一冊の本になった時にどうなるのかなというのも楽しみですね。

揚羽　『２０８４年のＳＦ』には、プラスチックの世界が崩壊する話を書きました。『ＮＯＶＡ　２０２３年夏号』には、娘の代わりにアンドロイドを溺愛《できあい》するお父さんの話を書き、『ＡＩとＳＦ』には、私は元々医療従事者だったので、病理診断[*2]プログラムが進化し、病理医がいらないほどのレベルになった時に、病理検査に携《たずさ》わる人間はどうするかという話を書きました。『ＡＩとＳＦ』は生成ＡＩの話がほとんどだったと思うのですけど、私は診断用ＡＩについて書きました。

すごい人と一緒に名前を並べてもらえる！というのが、アンソロジーに参加して一番うれしく感じたことです。私の場合、星新一賞に書いた作品は、野尻抱介[*3]さんの小説を読んでインスパイアされたところがあったのですが、『ＡＩとＳＦ』は野尻さんと一緒に掲載されて、この間会う機会があったときにサインをもらったりしました。そういうファンのノリが同居しているようなところがアンソロジーの好きなところで、とっても楽しい。読んでいる方もいろんな人の作品が読めていいんじゃないかなと思うのですが、会場にいらっしゃる日本ＳＦ作家クラブの会長の大澤さん、どう思われま

＊1　大森望編『ＮＯＶＡ　２０２３年夏号』（河出文庫／二〇二三）

＊2　病理診断
患者から採取された細胞や組織を光学顕微鏡等で観察して、病気による生体の変化の種類や進行等を診断すること。診断を行う医師を病理医という。

＊3　野尻抱介（のじり・ほうすけ）
一九六一年生。計測制御・ＣＡＤプログラマー、ゲームデザイナーを経て、一九九二年に作家デビュー。宇宙をテーマにしたハードＳＦを多数執筆。

すか。

大澤博隆（以下、大澤）　私はプロ作家ではないので読み手としての感想になりますが、読む側としては、いろんな作家の個性がわかりやすくぱっと一望して見られるのですごくありがたいですし、人にも勧めやすいというのはあります。最近、作家クラブで出たアンソロジーはすごくいいので、「最近のSF何読んだらいいですか」と聞かれたら「とりあえずこれ読んでください」と渡すことができるという良さがあります。幕の内弁当的な良さがあると思います。

●新しい形のコンテスト＊1

揚羽　出版とか創作環境をめぐって「これが新しい」と言えることにコンテストがあります。ハヤカワSFコンテストと創元SF短編賞の他に、〈日本SF作家クラブの小さな小説コンテスト〉（通称：さなコン）やVGプラスの〈かぐやSFコンテスト〉のように、短編小説のコンテストが結構増えていますよね。（現在pixivで開催中の）さなコン3の最終選考の審査員である十三不塔さん、いかがですか。

十三　そうですね、さなコン3の最終審査員をやらせていただきます。気合入れて。僕、コンテストは応募したり落ちたりをこれまで繰り返しているので、応募者の気持ちはわかるつもりです。短編はまだしも、半年とかそれ以上の時間と労力をかけた長編が落とされると、しょうがないのですが辛いですよね。せめて、きちんと読まれているとか、熱意を持って審査されてるということがわかると、浮かばれるというか、落ちても成仏《じょうぶつ》できると思うので、最終選考に上がってきた作品は三回ずつぐらいは読もうかなと思っています。

揚羽　さなコンと言えば、裏方をすごく頑張ってくださっている門田充宏《もんでんみつひろ》さんがそこにそっと座っていらっしゃるので、なぜこんなに盛り上がっているのか、ちょっと裏側をお聞きしてもいいですか。

門田充宏（以下、門田）　最初にpixivと短編コンテスト企画をやりましょうとなった時は、当時の日本SF作家クラブの理事の間で「いくつくら

＊1　各コンテストの紹介については35ページへ。

い集まりますかね」、「五十編も応募してもらえたら嬉《うれ》しいですよね」と言っていたんです。そしたら最初の一週間くらいで五十編くらいパッと集まって、その時は本当に安堵《あんど》して「ああ良かった、これで何とか形になった」と話していたんですね。ただその時は、応募開始がちょうどゴールデンウィークで、新型コロナの外出自粛《じしゅく》期間と被ってたので、急に時間ができた人が応募してくれたからじゃないかなと言ってたんです。でもその後も応募はじわじわ増えて最終的には千編を超えて、「ちょっと待ってこれは一体どういうことなの」となって……。第二回以降もそれがずっと続いているような状態です。色々考えても、どうしてこんなに応募してもらえているのか、本当のところはよくわかっていません。

　運営の立場から率直に言うと、ここまでたくさん応募していただけるというのはありがたいし嬉《うれ》しいという思いと、責任も重いし運営負荷も高くて大変だという思いの両方があります。でもさっき十三不塔さんもおっしゃってましたけど、私も公募からデビューしてるので、応募する側の気持ちもとてもわかるんですね。なので第一回の時は、もう応募作品は全部きっちり読もうと思って、応募される度に読んでいきました。まさか最終的に千編を超えるとまでは思っていなかったので、最終日にものすごい数の応募があった時は目眩《めまい》がしましたが。

　話が少し飛びますが、今開催しているさなコン3については、一次選考は作家クラブの外部に委《い》託《たく》しましたが、ものすごく丁寧に読んでもらっています。私もチェックのためにランダムにピックアップして読んでいますけれども、一次選考担当者の方が精緻《せいち》に読んでくださっているのがわかります。二次選考に通過した作品には作家クラブの審査員がフィードバックコメントを書くのですが、私もコメントをもらうためにこっそり応募したいなと思うくらい、二次選考委員も今、頑張ってきっちり読んでくれています。最終選考ではさらに手厚い審査が繰り広げられると思うので、楽しみにしていただけると嬉《うれ》しいです。

揚羽　さなコン3では、一次選考に通過しなかったけど惜しかったねという作品へのコメントもすごく熱かったですよね。

門田　元々さなコンには、頑張って小説を書いている人たちを応援したい、特に書き始めたばかりの人たちへの応援を手厚くしたいという思いがありました。でも実際には、一次選考のすごく惜しいラインで通過できない人たちを応援できていない、一番手厚くしたいところが漏《も》れているという思いがずっとあったので、さなコン3ではそういう仕組みを取り入れてみたんです。ただ実際にやってみたら、応援したいという気持ちの抑えが効かなくなって、結果としてすごい量のコメントになっちゃった。

揚羽　さなコンって、応募作品がpixiv上で公開されているので外から読めるじゃないですか。それでSNSとかで、これが良かったとか、あれが良かったとかという感想を共有してくれる、一種のコミュニティみたいなものができていて、そういう人たちが盛り上げてくれてるのかなと思ったり。そこに公式からちょっとコメントとかが入ると、さらに盛り上がったりするのかなと思っています。

十三　さなコンは全ての応募作品が公開されている状態で選考をやるので、応募作品の良し悪しとかクオリティが他の人にも分かりますよね。なので、審査員が試されるというところがあってちょっと怖いですよね。「これ、落としたの？　誰《だれ》が見ても良い作品じゃん。お前の目は節穴か」と言われ得る。

でもコンテストって基本、落ちるものですよね。なかなか直視し難いんですけど、確率的には、基本落ちてしまうもの。ただ、さなコンは、各選考の段階で一緒くたに落選しましたというのではなくて、一次に落ちても惜しかったっていうコメントがついたりとか、いろんな注目のされ方とか取り上げられ方がありますよね。運営に引っかからなくても、読者の間で「これ、すごかったよね」と話題になることもありますし。僕も、個人的にはすごく気に入っているのですが、選考では上にあがらなかったということがありました。それは審査員の好みとかがあるのでしょうがないと思うんですけど。ただ、そういう感じで盛り上がるっていうのはいい。

それからかぐやSFコンテストとの対比みたい

なものもある。かぐやＳＦコンテストは逆に、応募が匿名《とくめい》で、審査員も誰《だれ》が書いてるかわからない状態で作品だけを純粋に見るという形で選考をしています。そこらへんのコンテストのルールの違いみたいなものも、とても面白いなと思っています。いろんな形のコンテストがもっともっと出てきてほしいなと。自分のフィットするところに作品をぶち込んで戦ってもらうと楽しいんじゃないかなと思います。

揚羽　さなコンとかぐやＳＦコンテストの応募者は、重なっていると思いますか。

十三　僕、両方出したことあるので、かぶってるんじゃないでしょうか。でも、受賞する作品のカラーは結構違うなと思います。これはちょっと言語化しにくいですけど、違ったタイプの作品が賞を取っていると思います。

揚羽　両方応募したことのある十三不塔さんとしてはそれぞれに感想はありますか。

十三　両方とも面白かったですけど、特徴的なのはさなコンは書き出しに縛りがあるところ。ちょっと大喜利っぽいというか、特に今回の書き出しの『チャンスは残り三回です』どこか楽しげに声は告げた」は結構頭を使いますよね。その書き出しから良い作品を書くのはなかなかハードルが高くて大変そう。

かぐやＳＦコンテストの場合は、「未来の何々」っていうテーマが決まっているので、そこらへんは自分に向いたコンテストに出した方がいいんじゃないですかね。

門田　書き出しの課題文は結構悩みました。初めて書く人が書きやすいようにしたんです。逆に書き慣れている人は難しいだろうなと思います。色々と縛られちゃうから。

十三　さなコン2では「課題文を、書き出しか末尾かどちらかに使う」というルールでしたが、さなコン3では冒頭のみにしていますよね。そこは何かお考えがあったんですか。

門田　さなコン2では最初、課題文を書き終わりで使うようにしようかと言ってたんです。ただ、それだと小説を書いた経験があまりない人には難しいんじゃないかという意見があって、じゃあ、どちらでも選べるようにしましょうとなりました。

でもその結果、レギュレーションチェックがむちゃくちゃ大変になってしまったんですよ。これを毎回やるのはちょっと無理だということになりました。どちらか片方であれば、書き出しの方がレギュレーションチェックがしやすいですから、運用負荷の都合で申し訳ないのですが、今回は書き出し固定にさせていただきました。

十三　どういうことが起こるかは、何回かやってみないとわからないですよね。まだ若いコンテストですから、第四回、五回とぜひ続けていただけたらと思っております。

●SFプロトタイピングとのかかわり＊1

揚羽　今SF作家は、本や雑誌に小説を書く以外にいろんなことをやっているんじゃないかと思うんです。例えば、SFプロトタイピングとか。今の日本SF作家クラブの会長は、SFプロトタイピングの研究者なので、SFプロトタイピングについて簡単に教えてもらってもいいですか。

大澤　SFプロトタイピングの研究をしているという立場から簡単に紹介します。最近、プロの作家がSFを執筆するだけじゃなくて、企業の方がSF小説の執筆やワークショップをやってみて、出てきたプロットとかをベースに社内のビジョンを考えましょうみたいな試みが色々あります。それが総じてプロトタイピングと呼ばれていて、内容は、SF作家に広告小説に近いものを執筆してもらうというものから、社内で社員がSF作家とワークショップをやるというものまで、色々あります。

粕谷　会社が、その会社の未来を考えるためにやってみるとか、そういう感じですか。

大澤　色々なんですけど、ひとつは、新しいアイデアを作るために、社内で資材を集め合って新規アイデアを考えましょうみたいな形でやるパターン。もうひとつは、教育のため。実は社内の人でも自分の部門外のことってあんまり知らないので、社内の違う分野の人を集めて、プロトタイピングを通して知識を得てマネージャーになる人の教育をするというのもあります。あとは社外への製品やシステムの宣伝のために広告小説を書くという

＊1　SFプロトタイピングについては、73ページ「え？　科学技術とSFって関係あるんですか？　本当に？」、90ページ「SFと科学技術を再考する」、114ページ「〝社会〟の中でフィクションを書く」にも記述がある。

のもあります。

粕谷　例えば社内でワークショップをやったあと、それがＳＦ小説にまとまったりする？

大澤　まとまることもありますし、外部には出版されないこともあります。そこはちょっとネックで、（作家団体である）日本ＳＦ作家クラブの会長としては、色々調整しなきゃいけないところだと思っています。でも、社内で読まれるだけでも数千人に読まれる場合もあるので、インパクトはあります。あとは我々には観測できない範囲で結構動いてるという噂《うわさ》もあります

櫻木　私は、作家の小野美由紀[*1]さんからお声がけいただいて、ワコールのプロジェクトのお手伝いに行ったことがあります。さっき揚羽さんもおっしゃっていましたが、短い小説はワンアイデアで書けるから書きやすい。その時は、ワークショップでワコールの人間科学開発研究センターのメンバーの方たちが未来の短編を書くのをお手伝いしました。

十三　僕の参加している企画もプロトタイピングになるのかな。柏市《かしわし》で、ＡＩのチャットによるメンタルケアみたいなサービスが実装されつつあるんです。[*2]命の電話みたいなものは、結構追い詰められている人がかけてくることが想定されていると思うのですが、その前の、軽度のストレスを感じている状態で誰《だれ》かに話を聞いてほしいという時に、軽度であればあるほど当然相談したい人が増えるので、スタッフも足りないし、行政のそういうところに電話してもたらい回しにされたりとか、混んでて回線が繋《つな》がらないということが結構あります。それを打開するための、ＡＩが話を聞いてくれるというチャット。これは解決策を出してくれるわけではなく、傾聴《けいちょう》と共感。相手が人間じゃなくても、結構人間って慰《なぐさ》められるらしいんですよ。それが今度、柏市《かしわし》で始まるので、そのシステムを作ったＮＰＯ団体の人たちと今、短編小説を作っています。

揚羽　ＳＦプロトタイピングは、割と制約があるじゃないですか。普通の小説のテーマと違うような気もしますが、そのあたりはどうですか。

櫻木　アンソロジーのタイトルや、ゲンロンＳＦ創作講座で与えられたお題で書くのは、自分一人

*1　小野美由紀（おの・みゆき）作家／ＳＦプロトタイパー。著書に『ピュア』（早川書房／二〇二〇）やエッセイ集『わっしょい！妊婦』（ＣＣＣメディアハウス／二〇二三）など。

*2　柏市は「悩み相談ＡＩチャットシステム」の実証実験サイトを、二〇二三年八月から二〇二四年三月まで開設していた。
https://kashiwa.ziai.io/

だったら思いつかないものが書けるのがすごく良いところだと思っています。
　企業の方は長年にわたってものすごい研究やユニークな実験をしていて、こちらにとってはそれがむしろフィクションというか、そういう話を聞けることによる相互作用の面白さがＳＦプロトタイピングにはあります。でも私はやっぱり、ちょっと自由気ままがいい。ＳＦプロトタイピングは企業の期待に応えられるかどうかという不安が大きくなっちゃうから、ちょっと難しいです。

十三　企業のイメージがあるので、ハッピーエンドはマスト。だから、露悪《ろあく》的なことはあんまりやれないし、バットエンドはほぼ不可能なんじゃないですか。バットエンドで終わるプロトタイピングの小説、まだ見かけたことはないと思います。

大澤　結構あるのは、こういうことがあると危ないというのをうちの会社はわかってますという意味で、わざと危険なシチュエーションを書かせるみたいなパターン。ただその中でも、麻薬ＮＧのようないろんな制約があったりはするので、独特の縛りはやっぱりあります。そこは不都合あるという方も結構いらっしゃるかな、と。

櫻木　車関連のＳＦプロトタイピングの話をいただいた時に、私は運転ができないし、免許も持ってないし、今住んでるところは琵琶湖《びわこ》の島で車が一台もないから、私には何も書けないと思って辞退したのですが、後から、そういう人ができる発想もあるんじゃないかと言われて、そうですよねと思いました。あと、好き嫌いもありますよね。私は車よりトコトコ歩く方が好きだから、そのためらいもありました。でもそれだったら、歩く車とか、いろんな逆の発想があったのかもしれないですね。

揚羽　確かに、思ったように自分の好きなことを書けないところはあるかもしれないですけど、創作の視野が広がる感じはしますよね。

藍銅　私も、それっぽい仕事を引き受けたんですけど、小説を作るわけではなくて、企業の社長さんと対談をして、それがネット記事になるというケースでした。なんか色々あるんだなって。

大澤　本当に色々ありますね。そういうアドバイザー的なのとか、ちょっと新しい発想を入れるためにＳＦ作家さんを呼ぶというのは割とあります。作家にとってメインの創作にはならないかもしれないですが、お金的には比較的条件がいいことが多いというところです。

十三　まあ、普通の雑誌などの原稿料よりはもらえることが多い傾向にあるんじゃないでしょうか。

揚羽　プロトタイピングって、ＳＦ作家ならではのことですよね。純文学の作家にこういう企業からの話とか、あんまり行かないですよね。

大澤　ある方もいると思いますけど、文化人的な立ち位置でしょう。

揚羽　星新一も企業のＰＲ誌に広告小説を書いていたと聞きますが、ＳＦはちょっと未来を語るみたいなところで、昔からそういう傾向があるんでしょうか。

大澤　そうですね。昔からあります。ご存知の方も多いと思いますが、企業が出している広告に載せた作品がショートショートになるというような、広告小説は昔からありました。今のＳＦプロトタイピングはそれに近い形態のものもありますし、もうちょっと広い形で書いてもらうものもあるなという感じです。ちなみに作家の皆さんに注意してほしいのは、成果物が出版されないものや、著作権が企業に所属してしまうものに関しては、一桁《ひとけた》ぐらい上の値段をつけて請求した方がいいと思います。労力的に。

揚羽　大澤会長、ありがとうございました。成果物の値段についての助言もいただけましたところで、今回の対談を終了したいと思います。

最近のＳＦ作家の活動は、一言では語れないぐらいバラエティに富んでいます。これから小説を書こうと考えていらっしゃる方にも、参考になれば幸いです。

※この対談は二〇二三年八月に開催された第六十一回日本ＳＦ大会（Sci-con2023）の企画「広がる出版・創作環境」の文字起こしを加筆修正したものである。

SF作家になるには

大森望

1　SF作家に免許は不要

SF作家になるにはどうすればいいか？

いまの時代、答えは簡単。自分がSFだと思う作品を書いてネット上に公開し、SF作家だと名乗ればいい。

いや、そういうことじゃなくて、プロになるにはどうすればいいか知りたいんですけど――という質問に対しては、その昔、ベーシストの吉田建[*1]が答えを出している。古い話ですみませんが、アマチュアバンド勝ち抜き番組「いかすバンド天国」で、審査員だった吉田建がJITTERIN'JINN[*2]のドラマーを絶賛したときのこと。司会の三宅裕司[*3]から「プロでも通用するでしょうかね」と問われて、吉田建いわく、

「なにかと言うとすぐ『プロになれるでしょうか』って訊《き》かれるけど、勝手になればいいだろと言いたい。だれが免許証出すわけでもないんだから」

作家の場合もこれと同じ。プロになるのに免許はいらない。SF小説を募集するコンテスト（公募新人賞）

＊1　吉田建（よしだ・けん）
日本の作曲家・編曲家・ベーシスト。沢田研二や吉田拓郎など、多くの有名アーティストのバッグバンドを務める。

＊2　JITTERIN' JINN
一九八六年に結成した日本のバンド。代表曲は「夏祭り」など。

＊3　三宅裕司（みやけ・ゆうじ）
一九五一年生。コメディアン、俳優、タレント。アミューズ所属。

やSFの書き方を教える講座はあるが、SFを書くために資格も試験も必要ない。あなたが書いたSFを読むためにお金を払ってくれる人がいれば、あなたは立派なプロのSF作家なのである。

一方、「プロのSF作家になる」というのが「SF小説を書いて生計を立てる」ことを意味するのだとしたら、これはずいぶんハードルが高い。SFの定義にもよるが、いまの日本で、そういう意味でのプロのSF作家は多くて二、三十人だろう。そもそも小説家という職業自体、いまは生業《なりわい》として成立しづらい。なにしろ本の初版部数は減る一方。文庫本でも五千部を切ることが珍しくない。そのぶん値段が上がっているとはいえ、定価千円（税込）、初刷五千部、印税（著者の取り分）一〇％とすると、著者の収入は一冊書いて五十万円。年に四冊出版しても二百万円にしかならない。

もちろん、長編を小説誌に連載したのちに単行本化し、二年～三年後にそれを文庫化し、その文庫本が年に一回くらいのペースで重版をつづけるような作家なら、同じ一冊の長編から得られる収入は何十倍にも跳ね上がる。SF界隈《かいわい》で言えば小川哲[*1]コースだが、こういう成功例は極端に少ない。とはいえ、デビュー作が大注目されてアニメ／ドラマ／映画になり、たちまち十万部を突破――みたいな幸運が絶対にあり得ないとは言えないので、夢のある商売には違いない。

また、ここ数年は、SFプロトタイピングの流行により、一般読者に向けて小説を書く以外にも、SF的発想によって収入を得る新たな道が開けてきた。企業などからの注文を受けて企画開発のアイデア出しに協力したり、先方のリクエストに合わせて特定のテーマのSF小説を書いたりすることで、売れない本をふつうに出版するよりもはるかに多い報酬《ほうしゅう》が得られたりする。作家的な実績や知名度はそれほど求められないので、新人SF作家にとっては大きな収入源になりうる。

しかし、商業デビューしないうちからSFプロトタイピングで稼《かせ》ぐことを目指すというのも本末転倒。そこで、ここではとりあえず、SF作家志望者の現実的な目標を、「自分で書いたSF小説をできれば紙の本

＊1　小川哲（おがわ・さとし）　二〇一五年、「ユートロニカのこちら側」で第三回ハヤカワSFコンテストで大賞を受賞。『地図と拳』（集英社／二〇二二）で第十三回山田風太郎賞、第一六八回直木三十五賞を受賞。

で何冊か商業出版し、世間的に（少なくともSFファンの間では）SF作家として認知される」というあたりに設定したい。

その場合でも、やっぱり一番の早道は、自分がSFだと思う小説を書いてネット上に公開し、SF作家だと名乗ることだろう。

2 小説投稿サイトの効用

どこにどうやって公開すればいいのかわからない人は、「小説家になろう」「カクヨム」「エブリスタ」などの大手小説投稿サイトに投稿するのがてっとりばやい。さまざまなコンテストが常時開催されているので、小説投稿時にエントリーボタンをクリックすればそれだけで応募したことになる。ウェブ小説って、つまり異世界転生ファンタジーとか悪役令嬢《あくやくれいじょう》ものとかでしょ——と思うかもしれないが、もちろんそれだけでなく、少数ながらSFや純文学も投稿されている。

「カクヨムWeb小説コンテスト」（カクヨムコン）の場合、応募総数は全体で二万以上。現在、募集部門にSFはないが、エンタメ総合部門にはSFも対象ジャンルのひとつとして明記されている。最近の例で言うと、ロボットSF要素のある饗庭《あえば》淵《ふち》『対怪異アンドロイド開発研究室』[*1]は前回カクヨムコンのホラー部門特別賞受賞作。柞刈《いすかり》湯葉《ゆば》『横浜駅SF』[*2]や三方《さんぽう》行成《ゆきなり》『トランスヒューマンガンマ線バースト童話集』[*3]もカクヨムに投稿された作品の改稿版だ。

一方、第四回ハヤカワSFコンテストで優秀賞を受賞し、その後ハヤカワ文庫JAで書籍化された二作、黒石《くろいし》迩守《にかみ》『ヒュレーの海』[*4]と吉田《よしだ》エン『世界の終わりの壁際で』[*5]は、ともに「小説家になろう」に発表した

＊1　饗庭淵『対怪異アンドロイド開発研究室』（KADOKAWA／二〇二三）

＊2　柞刈湯葉『横浜駅SF』（カドカワBOOKS／二〇一六）

＊3　三方行成『トランスヒューマンガンマ線バースト童話集』（早川書房／二〇一八）

＊4　黒石迩守『ヒュレーの海』（ハヤカワ文庫JA／二〇一六）

＊5　吉田エン『世界の終わりの壁際で』（ハヤカワ文庫JA／二〇一六）

作品を改稿したもの。小説投稿サイトの作品はすでに日本SFの一角を占めている。

　これら大手小説投稿サイトは、掲載されている作品の数があまりにも多い（十万以上ある）ので投稿しても埋もれてしまいそうだが、特徴があればそれなりに注目される。著者名があまりにも長いことで有名な「惑星ソラリスのラストの、びしょびしょの実家でびしょびしょの父親と抱き合うびしょびしょの主人公」（略して「惑ソび」）は、カクヨムに投稿していたいくつかの短編に書き下ろしなどを加えた電子書籍『惑ソびコズミックニューロサイエンスホラーSF傑作短篇集　たまたま座ったところに〝すべて〟があり、それが直腸に入ってしまった。[*1]』をanon press（後述）から刊行し、SNSでそこそこ話題になっている。

　ウェブ上のSF賞のうち、SFファンの注目度がピンポイントで高いのは、ウェブSFレーベル「Kaguya Planet」を擁《よう》するVG+（バゴプラ）主催の短編賞「かぐやSFコンテスト」[*2]。二千字～四千字の短編小説が対象で、大賞受賞作は英語と中国語に翻訳される。第一回大賞の勝山海百合《かつやまうみゆり》「あれは真珠というものかしら」は『ベストSF2021』[*3]に採録。第二回大賞の吉美《よしみ》駿一郎《しゅんいちろう》「アザラシの子どもは生まれてから三日間へその緒をつけたまま泳ぐ」は中国語訳が『科幻世界』二〇二二年三月号に掲載された。同賞の受け皿として、井上彼方《いのうえかなた》編のSFアンソロジー『新月』[*4]も刊行されている。「未来のスポーツ」をテーマにした第三回かぐやSFコンテストでは、暴力《ぼうりょく》と破滅《はめつ》の運《はこ》び手《て》「マジック・ボール」が大賞、牧野大寧《まきのだいねい》「城南小学校運動会午後の部『マルチバース借り物競走』」が読者賞、糸川乃衣《いとかわのえ》「叫び」が審査員特別賞を受賞した。（「マジック・ボール」は『科幻世界』二〇二四年四月号に訳載）。

　日本SF作家クラブがpixivと共同で主催しているのが、「日本SF作家クラブの小さな小説コンテスト」（通称さなコン）。対象は一万字以内の短編小説。二〇二三年の第三回では、〈「チャンスは残り三回です」どこか楽しげに声は告げた。〉という文章を冒頭に置くことという縛りが課せられ、だいたい日陰《ひかげ》「ただよう世界の中で」が日本SF作家クラブ賞を受賞した。

＊1　惑星ソラリスのラストの、びしょびしょの実家でびしょびしょの父親と抱き合うびしょびしょの主人公『惑ソびコズミックニューロサイエンスホラーSF傑作短篇集　たまたま座ったところに〝すべて〟があり、それが直腸に入ってしまった。』（anon press／二〇二三）

＊2　かぐやSFコンテストの受賞作と最終候補作品は、コンテストの特設ページにて全文を読むことができる。
第一回：https://virtualgorillaplus.com/1st-kaguya-sf-contest/
第二回：https://virtualgorillaplus.com/kaguya-sf-contest/2nd-kaguya-sf-contest/
第三回：https://virtualgorillaplus.com/kaguya-sf-contest/3rd-kaguya-sf-contest/

＊3　大森望編『ベストSF2021』（竹書房文庫／二〇二一）

＊4　井上彼方編『SFアンソロジー　新月／朧木果樹園の軌跡』（Kaguya Books・社会評論社／二〇二三）

ＳＦの賞ではない（どころか小説賞でさえない）が、ＳＦ系の作品のエントリーがわりあい多い印象があるのは、西崎憲《にしざきけん》が主宰する独立系レーベル〈惑星と口笛〉主催のオンライン文芸イベント、ブンゲイファイトクラブ。文芸作品によるプロアマ混合のオープン・トーナメントで、四百字詰原稿用紙にして六枚以内であれば、小説、詩、短歌、俳句、エッセーなど形式は自由。「ファイター」（応募者）が書いた作品を公募による「ジャッジ」（選考委員）が審査して勝ち負けを判定する（ジャッジもファイターに審査される）。過去五回の優勝ファイターは、順に、北野勇作《きたのゆうさく》、蜂本《はちもと》みさ、左沢森《あてらざわしん》、冬乃《ふゆの》くじ、蜂本みさ、優勝ジャッジは樋口《ひぐち》恭介《きょうすけ》、竹中朖《たけなかあきら》、青山新《あおやましん》、岡田麻沙《おかだあさ》、野村金光。ＳＦでエントリーして受賞すれば、それなりに名前が売れそう。

3　電子書籍／同人誌の現在

新人賞に応募するのではなく、ＫＤＰ（Kindle Direct Publishing）などの電子書籍個人出版からデビューするコースもある。藤井太洋《ふじいたいよう》は、初めて書いたＳＦ長編『Gene Mapper』[*1]を二〇一二年七月に米 Amazon の Kindle ストアなどで個人出版。同年十月に日本 Amazon で Kindle ストアがオープンするや、小説・文芸部門の売り上げトップに立ち、伊藤計劃《いとうけいかく》『虐殺器官』[*2]や冲方丁《うぶかたとう》『天地明察』[*3]を差し置いて、同年の一位に輝いた。それが早川書房の目に留まり、翌年、同作の改稿版をハヤカワ文庫ＪＡから出版して商業デビューを飾り、その二年半後には日本ＳＦ作家クラブ会長に就任した。

最近では、ＳＦ作家の青山新[*4]と樋口恭介[*5]が立ち上げた前出の anon press[*6]（〝未来を複数化させるメディア〟）や、西崎憲が主宰する惑星と口笛ブックスなど、インディーズ的な電子書籍インプリントがＳＮＳで注目されている。

＊1　藤井太洋『Gene Mapper』『Gene Mapper -core-』（Taiyo Lab／二〇一二）『Gene Mapper -full build-』（ハヤカワ文庫ＪＡ／二〇一三）

＊2　伊藤計劃『虐殺器官』（早川書房／二〇〇七）

＊3　冲方丁『天地明察』（角川書店／二〇〇九）

＊4　青山新（あおやま・しん）　ＳＦや未来志向型のデザインを中心に、執筆／表現活動を行う。

＊5　樋口恭介（ひぐち・きょうすけ）　作家。二〇一七年に「構造素子」でハヤカワＳＦコンテスト大賞を受賞しデビュー。

＊6　anon press　ＳＦ小説や未来に関するリサーチ、論考、座談会等のテキストを配信している。https://note.com/anon_press/

また、文学フリマやBOOTH（pixivと連携した、同人誌その他の創作物の通販サイト）で販売される同人誌や同人アンソロジーに作品を掲載し、地道に読者を増やしていく手もある。発行部数は数百部程度だが、熱心な読者がついている媒体だと、ＳＮＳで大きな反響を呼ぶことも。ウェブ小説よりは母数が少ない分、目につきやすい。ＳＦ系では〈SCI-FIRE〉、〈カモガワＳＦシリーズ〉、大戸又《おおとまた》の〈walkingchair〉（ドラゴンカーセックス小説アンソロジー『WHEELS AND DRAGONS』や、『チャイナ・ミエヴィル　トリビュートアンソロジー』、『何と暮らして？・』など）その他いろいろ。商業デビューした作家が寄稿する（もしくは個人出版する）ものも多く、プロとアマの境界はあいまいになっている。

4　出版社主催のＳＦ系公募新人賞

小説投稿サイトなどによるウェブ上のコンテストが勢力を拡大しているとはいえ、文芸書を中心とする小説出版業界（ライトノベルを除く）では、出版社が主催する公募新人賞を受賞して商業デビューするルートがまだまだ主流と見なされている。

主なものだけでも数十の賞があるが、ＳＦ作家としててっとりばやく認知されることを目指すなら、応募先は、早川書房のハヤカワＳＦコンテストか、東京創元社の創元ＳＦ短編賞の二者択一。四百字換算で百枚以内なら創元、それより長ければ早川にどうぞ。五十枚以内なら日経「星新一賞《ほししんいち》」という手もあるが、日経が受賞者の作家的キャリアの面倒をみてくれるわけではないので、ＳＦ作家として認知されるかどうかは、その後の本人のがんばり次第だろう。以下、もう少し詳しくこの三つのＳＦ新人賞を解説する。

中編～長編を対象とする賞として二〇一二年にリニューアル再開された早川書房の「ハヤカワＳＦコンテ

スト」は、前身を含めると日本でもっとも歴史の長いＳＦ賞。〝ＳＦ作家〟になる数々のルートの中では、このコンテストがもっともオーソドックスだろう。一九六一年にスタートし、小松左京《こまつさきょう》、眉村卓《まゆむらたく》、豊田有恒《とよたありつね》、平井和正《ひらいかずまさ》、光瀬龍《みつせりょう》、半村良《はんむらりょう》、筒井康隆《つついやすたか》、かんべむさし、山尾悠子《やまおゆうこ》、神林 長平《かんばやしちょうへい》、大原まり子《おおはらまりこ》、藤田雅矢《ふじたまさや》、森岡浩之《もりおかひろゆき》らを輩出した。リニューアル後は、六冬和生《むとうかずき》、柴田勝家《しばたかついえ》、小川哲、草野原々《くさのげんげん》、津久井五月《つくいいつき》、樋口恭介、三方行成、春暮康一《はるくれこういち》、十三不塔《じゅうさんふとう》、竹田人造《たけだじんぞう》、人間六度《にんげんろくど》、小川楽喜《おがわらくよし》、塩崎《しおざき》ツトムらがこの賞からデビューしている。大賞受賞作が出ないことも多いが、優秀賞、特別賞などなんらかの賞を受賞すれば書籍化されるのが特徴。無冠の最終候補作が書籍化された例も初期にはいくつかある。再開後の全十一回で、応募作が早川書房から書籍化された作家の数は二十八人。各回平均三人近くデビューしている計算になる。実際、小川哲は、応募する新人賞を選ぶにあたり、各賞を比較検討した結果、自分の作品がもっとも早くもっとも高確率で本になりそうな賞としてハヤカワＳＦコンテストに狙《ねら》いを定めたとか。傾向としては、小説のうまさよりもＳＦ性が重視され、他の賞では受賞しにくい本格ＳＦが強い印象がある。二〇二三年の第十一回は、矢野《やの》アロウ『ホライズン・ゲート 事象の狩人』[*1]が大賞を受賞。特別賞受賞作、間宮改衣《まみやかい》「ここはすべての夜明けまえ」はＳ‐Ｆマガジンに一挙掲載され、書籍化[*2]前から熱い注目を浴びている。

ＳＦ系の公募新人賞が不在だった二〇一〇年にスタートした東京創元社の「創元ＳＦ短編賞」は、四十字×四十行（最大千六百字）で組んで十～二十五ページの中短編が対象。松崎有理《まつざきゆうり》、高山羽根子《たかやまはねこ》、宮内悠介《みやうちゆうすけ》、酉島伝法《とりしまでんぽう》、オキシタケヒコ、門田充宏《もんでんみつひろ》、高島雄哉《たかしまゆうや》、宮澤伊織《みやざわいおり》、石川宗生《いしかわむねお》、久永実木彦《ひさながみきひこ》、八島游舷《やしまゆうげん》、天沢時生《あまさわときお》、斧田小夜《おのださよ》、松樹凜《まつきりん》、溝渕久美子《みぞぶちくみこ》、笹原千波《ささはらちなみ》らを輩出している（佳作、優秀賞、審査員特別賞含む）。受賞作は同社の小説誌〈紙魚《しみ》の手帖《てちょう》〉に掲載。受賞作を含む短編集は、創元日本ＳＦ叢書《そうしょ》から刊行される。ハヤカワＳＦコンテストよりも受賞作の幅が広く、ＳＦ度が低めでも小説としてのおもしろさがあれば受賞できる（個人の印象です）。

＊1　矢野アロウ『ホライズン・ゲート 事象の狩人』（早川書房／二〇二三）
＊2　間宮改衣『ここはすべての夜明けまえ』（早川書房／二〇二四）

二〇一三年にスタートした日経「星新一賞」は、理系的な発想に基づくショートショートおよび短編が対象。一般部門、ジュニア部門（中学生以下）の二部門があり、一般部門では、遠藤慎一《えんどうしんいち》（藤崎慎吾《ふじさきしんご》）、八島游舷、安野貴博《あんのたかひろ》、揚羽《あげは》はな、松樹凛らが受賞している（優秀賞含む）。受賞作は、無料でダウンロードできる電子書籍アンソロジーのかたちで刊行される。

5　非SF系公募新人賞

SF作家を目指す人はSF専門の新人賞に投稿すべきかというと、必ずしもそうとは限らない。SFの新人賞がなかった時代（いわゆる〝日本SF冬の時代〟とほぼ重なる）には、日本ファンタジーノベル大賞や日本ホラー小説大賞など、隣接ジャンルの新人賞からデビューするSF作家が多かったが、ここ数年でさらに状況が変わり、ミステリ系その他の新人賞からもSFの受賞作が出るケースが珍しくなっている。

酒見賢一《さけみけんいち》、佐藤亜紀《さとうあき》、恩田陸《おんだりく》、北野勇作、佐藤哲也《さとうてつや》、南條竹則《なんじょうたけのり》、藤田雅矢、山之口洋《やまのぐちよう》、粕谷知世《かすやちせ》、畠中《はたけなか》恵《めぐみ》、西崎憲、西條《さいじょう》奈加《なか》、小田雅久仁《おだまさくに》、勝山海百合、古谷田奈月《こやたなつき》らを輩出した「日本ファンタジーノベル大賞」は、四年間の休止ののち、それまで後援だった新潮社（新潮文芸振興会）の主催で二〇一七年に復活。「ゲンロン大森望SF創作講座」（後述）出身の高丘哲次《たかおかてつじ》と藍銅《らんどう》ツバメが二〇一九年と二〇二一年の大賞を受賞している。

瀬名秀明《せなひであき》、小林泰三《こばやしやすみ》、貴志祐介《きしゆうすけ》、矢部嵩《やべたかし》、曽根圭介《そねけいすけ》、飴村行《あめむらこう》、田辺青蛙《たなべせいあ》、法条遥《ほうじょうはるか》、伴名練《はんなれん》、堀井拓馬《ほりいたくま》、澤村伊智《さわむらいち》らを輩出したKADOKAWAの日本ホラー小説大賞は、二〇一九年、横溝正史《よこみぞせいし》ミステリ大賞と合併して「横溝正史ミステリ&ホラー大賞」にリニューアル。以降の受賞作を見るかぎりホラー小説大賞の後継という色合いが強いが、SF系の受賞作はいまのところまだ出ていない。

森博嗣《もりひろし》、清涼院流水《せいりょういんりゅうすい》、蘇部健一《そぶけんいち》、乾《いぬい》くるみ、浅暮三文《あさぐれみつふみ》、殊能将之《しゅのうまさゆき》、古処誠二《こどころせいじ》、舞城王太郎《まいじょうおうたろう》、佐藤友哉《さとうゆうや》、辻村深月《つじむらみづき》、白河三兎《しらかわみと》、高田大介《たかだだいすけ》らを送り出した講談社のメフィスト賞は、スタート当初から〝なんでもあり〟の賞だったが、ここ五、六年は、黒澤《くろさわ》いづみ『人間に向いてない』[*1]、名倉編《なぐらあむ》『異セカイ系』、潮谷験《しおたにけん》『スイッチ 悪意の実験』、須藤古都離《すどうことり》『ゴリラ裁判の日』などSF／ファンタジー系の作品がとみに増えている。

長編新人賞の頂点として長く君臨してきた江戸川乱歩《えどがわらんぽ》賞（日本推理作家協会）は、かつては現実的な設定の作品がほとんどだったが、近年は、斉藤詠一《さいとうえいいち》『到達不能極』[*2]や荒木《あらき》あかね『此《こ》の世《よ》の果ての殺人』などSF系の作品が受賞している。

大賞賞金千二百万円の宝島社『このミステリーがすごい！』大賞は、二〇〇二年のスタート当初から、ファンタジー／SF設定の作品が受賞（浅倉卓弥《あさくらたくや》『四日間の奇蹟《きせき》』[*3]、東山彰良《ひがしやまあきら》『逃亡作法 TURD ON THE RUN』）。その後も、乾緑郎《いぬいろくろう》『完全なる首長竜の日』、喜多喜久《きたよしひさ》『ラブ・ケミストリー』、安生正《あんじょうただし》『生存者ゼロ』、辻堂《つじどう》ゆめ『いなくなった私へ』、白川尚史《しらかわなおふみ》『ファラオの密室』など、SF／ファンタジー系の受賞作（優秀賞含む）が少なくない。

特殊設定ミステリの流行により、本格ミステリとSFの融合《ゆうごう》が進んだ結果、本格ミステリを対象とする東京創元社の鮎川哲也《あゆかわてつや》賞も、市川憂人《いちかわゆうと》『ジェリーフィッシュは凍らない』[*4]、今村昌弘《いまむらまさひろ》『屍人《しびと》荘の殺人』、方丈《ほうじょう》貴恵《きえ》『時空旅行者の砂時計』と、三年連続でSF設定の作品が受賞している。斜線堂有紀《しゃせんどうゆうき》の活躍が証明するように、「SFか、ミステリか」ではなく、「SFかつ本格ミステリ」が最近のトレンド。SFの中に本格ミステリ的な仕掛けや構造を導入したり、ミステリの中にSF的なガジェットを持ち込むことは、うまくやれば非常に効果的に注目度を上げられる。

逢坂冬馬《あいさかとうま》『同志少女よ、敵を撃て』[*5]で一躍有名になった早川書房のアガサ・クリスティー賞もミステリ系の新人賞だが、穂波了《ほなみりょう》『月の落とし子』、そえだ信《しん》『地べたを旅立つ 掃除機探偵の推理と冒険』、西式豊《にしきゆたか》『そ

＊1　黒澤いづみ『人間に向いてない』（二〇一八）、名倉編『異セカイ系』（二〇一八）、潮谷験『スイッチ 悪意の実験』（二〇二一）、須藤古都離『ゴリラ裁判の日』（二〇二三）いずれも講談社。

＊2　斉藤詠一『到達不能極』（二〇一八）、荒木あかね『此の世の果ての殺人』（二〇二二）いずれも講談社。

＊3　浅倉卓弥『四日間の奇蹟』（二〇〇三）、東山彰良『逃亡作法 TURD ON THE RUN』（二〇〇三）、乾緑郎『完全なる首長竜の日』（二〇一一）、喜多喜久『ラブ・ケミストリー』（二〇一一）、安生正『生存者ゼロ』（二〇一三）、辻堂ゆめ『いなくなった私へ』（二〇一五）、白川尚史『ファラオの密室』（二〇二四）いずれも宝島社。

＊4　市川憂人『ジェリーフィッシュは凍らない』（二〇一六）、今村昌弘『屍人荘の殺人』（二〇一七）、方丈貴恵『時空旅行者の砂時計』（二〇一九）いずれも東京創元社。

＊5　逢坂冬馬『同志少女よ、敵を撃て』（二〇二一）、穂波了『月の落とし子』（二〇一九）、そえだ信『地べたを旅立つ 掃除機探偵の推理と冒険』（二〇二〇）、西式豊『そして、よみがえる世界。』（二〇二二）いずれも早川書房。

して、よみがえる世界。』など、SF／ファンタジー系の受賞作が目立つ。

かつてはミステリと歴史時代小説が対象だった文藝《ぶんげい》春秋の松本清張《まつもとせいちょう》賞も、バリバリの異世界ファンタジー、阿部智里《あべちさと》『烏《からす》は主を選ばない[*1]』や、人間が墓場から生まれて若返っていく町を舞台にした蜂須賀敬明《はちすかたかあき》『待ってよ』が受賞。最新の受賞作、森《もり》バジル『ノウイットオール　あなただけが知っている』にもタイムトラベラーが登場する。

高山羽根子が「太陽の側の島」で受賞した林芙美子《はやしふみこ》文学賞は、北九州市が主催する短編賞（四百字詰原稿用紙で五十枚以上百二十枚以内）。神津《こうづ》キリカ「水靴と少年」が受賞した宮古島文学賞は、宮古島市文化協会が主催する短編賞（四百字詰め原稿用紙換算で三十～五十枚）。こうしたいわゆる地方文学賞には、ほかにも太宰治賞、京都文学賞、坊っちゃん文学賞、ちよだ文学賞などがある。本格SFが受賞することはめったにないが、幻想小説寄りの作風ならチャレンジしてもいいかもしれない。

〈文學界《ぶんがくかい》〉〈新潮〉〈群像〉〈すばる〉〈文藝《ぶんげい》〉の主要文芸誌（純文学雑誌）五誌はそれぞれ雑誌の名を冠した新人賞を主催している。円城塔《えんじょうとう》は『オブ・ザ・ベースボール[*2]』で文學界《ぶんがくかい》新人賞を受賞（谷崎由依《たにざきゆい》『舞い落ちる村』と同時受賞）、のちに選考委員もつとめたが、SF系の作品は受賞しにくい印象がある。書籍化される確率を考えれば、狙《ねら》い目は河出書房新社の文藝《ぶんげい》賞だろう。山野辺太郎《やまのべたろう》『いつか深い穴に落ちるまで[*3]』、藤原無雨《ふじわらむう》『水と礫《はりつけ》』、澤大知《さわだいち》『眼球達磨式《がんきゅうだるましき》』、佐佐木陸《ささきりく》『解答者は走ってください』など、SF／幻想文学寄りの受賞作が少なくない。

ライトノベル系もレーベルごとに多数の新人賞がある。かつて古橋秀之《ふるはしひでゆき》や上遠野浩平《かどのこうへい》、有川浩《ありかわひろ》（有川ひろ）らを輩出した電撃小説大賞では、近年も、安里《あさと》アサト『86‐エイティシックス‐[*4]』、菊石《きくいし》まれほ『ユア・フォルマ』などのSF作品が受賞している。また、電撃小説大賞「メディアワークス文庫賞」からは、野崎《のさき》まど、斜線堂有紀、人間六度などがデビューしている。ほかには、スニーカー大賞（角川書店）、ファンタジア大賞（富

＊1　阿部智里『烏は主を選ばない』（二〇一二）、蜂須賀敬明『待ってよ』（二〇一六）、森バジル『ノウイットオール　あなただけが知っている』（二〇二三）いずれも文藝春秋。

＊2　円城塔『オブ・ザ・ベースボール』（二〇〇八）、谷崎由依『舞い落ちる村』（二〇〇九）、いずれも文藝春秋。

＊3　山野辺太郎『いつか深い穴に落ちるまで』（二〇一八）、藤原無雨『水と礫』（二〇二〇）、澤大知『眼球達磨式』（二〇二二）、佐佐木陸『解答者は走ってください』（二〇二三）いずれも河出書房新社。

＊4　安里アサト『86‐エイティシックス‐』（二〇一七）、菊石まれほ『ユア・フォルマ』（二〇二一）、いずれも電撃文庫。

士見書房）、ジャンプホラー小説大賞など多数。

これ以外にも多数の公募新人賞があり、とても全部は言及しきれない。どの賞に応募するかは作風次第で、ガチガチの本格ＳＦやグレッグ・イーガン[＊1]ばりのハードＳＦならＳＦ専門の賞に応募すべきだが、ＳＦ要素を核にしていても、書き方をちょっと工夫するだけで、ミステリの賞にも、文芸誌の賞にも、ライトノベルの賞にも応募できる。ＳＦ専門読者にとっては読み飽きたネタでも、一般読者向けにうまく料理すれば、そのＳＦ成分が武器になる。

逆に、最近はＳＦ専門の新人賞からデビューしても、作品が話題になりさえすれば、非ＳＦ系の媒体からすぐに声がかかる。話題にならなかった場合（そっちのケースがほとんどですが）、ＳＦ作家として継続的に作品を発表できるかどうかは、本人のやる気と努力次第。むかしと違って賞を主催する版元が手取り足取り面倒をみてくれることはあまり期待できないので、デビューしたことを足がかりに、自分から積極的に動く必要がある。

6　ＳＦ創作スクール

ＳＦの書き方を教える小説講座は、大学や各学校のものも含め、全国にたくさんあるだろうが、実態がよくわからないので、手前ミソで恐縮ながら、ここでは「ゲンロン 大森望 ＳＦ創作講座」を紹介する。二〇一六年にスタートしたこの講座は、ほぼ一年かけてＳＦ小説の書き方を教える創作教室。月に一回（全十回）の課題提出（梗概《こうがい》と実作）と講義・講評を経て、年度の最後には、最終課題にあたる「ゲンロンＳＦ新人賞」の公開選考会が開かれる。課題の採点と講評は、各回のゲスト講師（現役ＳＦ作家＋各社のＳＦ担当編集者）に大森を加えた三人が担当。作家コースの受講生は、毎回、作家講師が出したテーマにしたがっ

＊1　グレッグ・イーガン（Greg Egan）一九六一年生。オーストラリアの作家。宇宙物理や数学を基盤としたハードＳＦの代表的な作家として知られる。

て短編の梗概《こうがい》（あらすじ）を提出。上位三〜四作に選ばれると実作提出に進み、翌月の講師から講評を受ける権利が与えられる（詳細は『SFの書き方　「ゲンロン 大森望 SF創作講座」全記録』＊1参照）。すべての提出課題は「超・SF作家育成サイト」＊2上に公開され、SNSなどに感想コメントがポストされる。SFファンダムや文芸出版業界からの注目度が高いのがメリットだが、執筆環境としてはけっこうハードかもしれない。

まもなく終了する第七期は、作家講師に柴田勝家、円城塔、長谷敏司《はせさとし》、新井素子《あらいもとこ》、法月綸太郎《のりづきりんたろう》、高山羽根子、斜線堂有紀、藤井太洋、菅浩江《すがひろえ》の各氏、編集者講師に早川書房、東京創元社、集英社、竹書房、VG＋、文藝《ぶんげい》春秋の各社SF担当者を迎えた。〝小説の書き方〟よりも〝SFの書き方〟に重点を置き、テーマに対するジャンル特有のアプローチや約束事が効率的に学べる。受講料が高額なので（作家コースは税別二十五万円、聴講コースは税別十五万円）、受講生の本気度が高く、相互の交流や感想の交換がプラスになっているようだ。

スタートから七年余を経て、商業媒体に進出した修了生も多数。講座提出作を改稿した連作短編集『うつくしい繭』で単行本デビューした櫻木《さくらぎ》みわ（第一期）を皮切りに、名倉編、天沢時生、八島游舷、高丘哲次、藍銅ツバメ、斧田小夜、揚羽はならが公募新人賞を受賞。ほかにも高木《たかぎ》ケイ、琴柱遥《ことじはるか》、稲田一声《いなだひとこえ》、原里美《はらさとみ》、吉羽善《よしはねぜん》らが、さまざまな媒体で活躍している。

＊1『SFの書き方「ゲンロン大森望SF創作講座」全記録』（早川書房／二〇一七）

＊2 超・SF作家育成サイト https://school.genron.co.jp/works/sf/2023/

7　デビュー後のキャリアをどう築くか

新人賞の受賞や商業媒体デビューはあくまでもプロ作家としてのスタートライン。そこから先に長い作家人生が待っている。

長編の新人賞を受賞すれば、それがすぐに書籍化されるのでもっとも効率的だが、多くの場合、知名度ゼロ、蓄積《ちくせき》ゼロの状態で世に出るため、二冊め以降で苦労する。短編賞で世に出た場合、最初の本を出すまでに三年とか五年とかかかるケースも珍しくないが、それまでのあいだにじょじょにキャリアを積んで作品数を増やし知名度を上げられるので、読者にある程度認知された状態で書籍デビューを果たせる利点がある。とにかく早く本を出したいなら長編賞、じっくりやりたいなら短編賞という感じだろうか。

後者の例は、創元ＳＦ短編賞出身の宮内悠介と高山羽根子。ともに正賞は獲《と》れなかったものの、そのあと書いた短編を自分から積極的に編集者に売り込み、版元とのつきあいを増やし、書籍デビューに漕《こ》ぎ着けた。ＳＦ系のコンベンションやトークイベントなどにも足を運んで、ＳＦファンダムでの認知度を上げて、ＳＦ作家としての地位を確立した。こういう地道な草の根活動が意外と重要。どちらもいまはあまりSFを書いていないが、ＳＦというホームグラウンドを持つことは作家的キャリアにとってプラスになっているんじゃないかと思う。

話を戻して、ＳＦ作家としてデビューしたあと、どのようにキャリアを積んでいくのが正解だろうか。文芸出版界、小説界、ＳＦ界がこの先どうなるかは不透明だが、現時点での典型的なコースを考えてみよう。

二〇二四年現在、ＳＦ読者に読まれる商業媒体は、まず第一に、早川書房が偶数月に刊行する隔月刊の小説誌〈Ｓ‐Ｆマガジン〉。ついで、年に一度ＳＦ特集を組む東京創元社の〈紙魚《しみ》の手帖《てちょう》〉と、ハヤカワ文庫ＪＡから年に一度くらいのペースで出ている日本ＳＦ作家クラブ編の書き下ろしアンソロジー（『ポストコロナのＳＦ』『２０８４年のＳＦ』『ＡＩとＳＦ』……）。あとは集英社の月刊誌〈小説すばる〉、河出文庫の『ＮＯＶＡ』（大森望責任編集／不定期刊）、光文社文庫の『異形コレクション』（井上雅彦監修）。ウェブ上ではKaguya Planet、「ゲンロン 大森望ＳＦ創作講座」受講生専用の「超・ＳＦ作家育成サイト」など。

これらの媒体に作品を掲載することでＳＦファンのあいだでの認知度を上げて、星雲賞国内短編部門（または長編部門）の参考候補作に選ばれる（日本ＳＦファングループ連合会議に加盟するグループの投票で決まる）。単著を刊行し、日本ＳＦ作家クラブに加入（べつに入らなくてもいいが、入ったほうがＳＦに関する仕事の幅は広がる）。著書が日本ＳＦ大賞の候補作に選ばれる（一次選考はネット投票、二次は日本ＳＦ作家クラブ会員の投票、最終は選考委員による選考会。最近はごく稀《まれ》に、短編でも候補になるケースがある）。いずれかの賞を受賞して、どこかの小説雑誌から寄稿（あわよくば連載）を依頼される。刊行した単行本が文学賞の候補になる（講談社の吉川英治《よしかわえいじ》文学新人賞／野間《のま》文芸新人賞、新潮社の山本周五郎《やまもとしゅうごろう》賞／三島由紀夫《みしまゆきお》賞、徳間書店の大藪春彦《おおやぶはるひこ》賞、日本推理作家協会賞などいろいろ）。そうこうするうちに直木《なおき》賞または芥川《あくたがわ》賞、もしくは本屋大賞の候補になり、どれかを受賞すれば、その後の作家人生は（書き続けられるかぎり）ほぼ安泰《あんたい》だろう。

ここ数年、日本ＳＦはどんどん新人があらわれて活況を呈《てい》しているが、これから出てくる人にとってはそれだけ競争率が激しくなっていることを意味する。埋没しないためには、自分のアピールポイントをしっかりつくって、一点突破を目指すこと。とにかく名前を覚えてもらわないと話にならない。ＳＦにはこのジャンルに忠実な読者がそれなりにたくさんいるので、いったんＳＦ作家として認知されれば、けっこう長く続けられるかもしれない。健闘を祈る。

大森望（おおもり・のぞみ）
書評家、翻訳家、ＳＦアンソロジスト。〈ゲンロン 大森望 ＳＦ創作講座〉主任講師。一九六一年生。新潮社勤務を経て一九九一年からフリーに。《ＮＯＶＡ》（河出文庫）や《ベストＳＦ》（竹書房文庫）シリーズなど多くのアンソロジーを手がけている。訳書にテッド・チャン『息吹』（ハヤカワ文庫ＳＦ）、劉慈欣《三体》シリーズ（共訳／早川書房）等。

編集者

小説にかかわるお仕事①

小説を世に送り出すコーディネーター

一口に〈編集者〉といっても色々だ。書籍の編集者なのか、文芸誌の編集者なのか、ネットメディアの編集者なのか。会社に所属している編集者か、フリーの編集者かによっても違うし、翻訳小説と日本語の書き下ろしの小説でも役割は異なる。書いてほしい作家に編集者から依頼を出す場合もあれば、作家から持ち込まれた原稿を検討する場合もあるだろう。

なんとなく共通して言えるのは、小説を世に送り出すまでの行程全体をコーディネートするということだろう。企画を立てて、上司や出版社にその企画を通して、作家の執筆や翻訳者の翻訳に伴走し、イラストレーターやデザイナーと書籍の表紙や組版について打ち合わせ、できあがったゲラを校閲・校正と確認し、印刷会社とやり取りをし、経理の人に印刷費や原稿料の振り込みを依頼し、帯の文言や宣伝文句を考え、告知を打ったり本屋に営業をしたりする。その全体の行程を管理し、コーディネートする、という感じだ。もちろん大きい出版社であれば営業は営業がしてくれるだろうし、ウェブマガジンであれば印刷会社とのやり取りの代わりに、サイトに投稿する、という作業になる。

このコラムでは多岐《たき》にわたる編集者の仕事のうち、三つに絞って紹介しよう。ちなみにコラム②〜④を読むと、翻訳者、校正者、デザイナーとのやり取りで編集者がどのような役割を果たすかも少しわかるようになっている。

ひとつめは作家探し。好きな作家に新作を依頼できる、というのは編集者の何よりの役得だろう。同人誌や小説投稿サイトで人気の作品を読んだり、いろんなコンテストの最終候補作品が公開されていればそれをチェックしたり。ウェブマガジンや電子書籍で新鋭の作家に出会うこともある。

それから私は、作家ではない人に小説を依頼することもある。例えば運営しているKaguya Planet というウェブマガジンに、九月さんという芸人にＳＦ小説を寄稿していただいた。日常を異化するようなちょっと不思議なコントを作る人で、この人なら絶対にセンス・オブ・ワンダーを感じるＳＦ小説を書くに違いないと思って依頼した。「冷蔵庫を疑う」という、タイトル通りに冷蔵庫を疑いまくる人の話が送られてきて、私の目は間違っていなかった……！と思った。歌人、エッセイスト、戯曲家といった、文章を日頃から書いている人に小説を依頼したり、ミステリーや純文学の作家にSFを書いてもらう、というのも楽しい。

二つめは小説のブラッシュアップ。好きな作家の原稿を誰《だれ》よりも最初に読めるというのが、編集者の役得その二だと思っている。(もちろん作家が私に原稿をくれる前に他の人に見せている可能性だってあるけど、それは一旦《いったん》考えないでおく)。原稿が来たらウキウキしながらそれを読む。

これは人によって違うかもしれないけど、私は作家に作品の〝意図〟は聞かないで初稿を読むことが多い。そしてフィードバックでその作品から何を読み取ったかとか、何を感じたか、ということを伝える。もちろんこれが、作家の意図とはずれていることもある。でもそれで良い。「こういう誤読をされうるのだな」というサンプルをひとつ知ってもらうことで、誤読が生まれた原因を考え、加筆修正をすることができるからだ。

その他にも、読みにくい箇所がないか、それぞれの要素が噛み合っているか、全体のバランスが取れているか、情報の出し方や量の匙《さじ》加減はどうか、そういったことを考えながら初稿を読む。作品から一歩離れて全体像を整理する、というのも役割のひとつだ。とはいえ、読みやすさや情報量のバランスというのは小説の最優先事項ではない。例えばエンタメ作品なら読みやすさは大事だが、作家がその小説でやりたいことによっては、読みやすさは度外視しても良い。そのあたりは作家のやりたいことを聞いて検討する。

つまり、小説のブラッシュアップにおける編集者の役割は、こうすればよくなりますよというアドバイスではなくて、外部の視点を入れることで、作家が作品を一歩引いて検討し直す手助けをすることなのだ(と少なくとも最近の私は思っている)。

それから登場人物がステレオタイプをなぞることによって偏見を助長していないか、差別やハラスメントを無批判に描いていないか、作品全体が誰《だれ》かの尊厳を傷つける内容になっていないか、ということも考える。

編集者の仕事の三つめは、「場を作る」ということ。当たり前だが、発表した作品によって評価を受けるのは編集者ではなくて作家だ。こういう言い方がいいかわからないが、編集者は、評価に晒《さら》される場に作家を引っ張り出すのだ。だから作家が安心して活動できる場を作るために尽力する責任がある。リスク管理をしたり、作品を届けるための宣伝文句やパッケージを工夫したり、場合によっては経営者に掛け合って原稿料の交渉をしたり。権限がなかったり力が及ばないこともあるけど、せめてそれが編集者の仕事であることは忘れずにいたい。

(井上彼方)

戦略的にコンテストに参加しよう

さなコンスタディーズ2021-2023

門田充宏

何百倍、場合によっては何千倍の倍率の小説のコンテストで結果を残すためには、他の人には負けない自分の〝強み〟を有効に活かす必要があります。そこで本稿では、二〇二一年から毎年開催されている、日本ＳＦ作家クラブの小さな小説コンテスト（通称・さなコン）に選考と運営で関わっている門田《もんでん》充宏《みつひろ》さんに、通算二千を超える応募作品を読みながら見えてきたことをご紹介いただきます。

ＳＦ以外のエンターテイメント系の文芸コンテストも視野に入れて、コンテストでどこを強みにして戦うかという大きな戦略から、設定の開示の仕方といった具体的な戦術まで、門田さんのひとつの方法が書かれています。

小説の書き方に迷っている人はひとまず、このステップに沿って書いてみてはいかがでしょうか。自分なりの書き方が見えてきたら、そこからずらしていくのもよいでしょう。あなたの大切な応募作が、良い結果を持ち帰ってきますように！

はじめに

本稿は、私がさなコンの運営・選考にかかわる中で、小説、特にコンテストに応募することを目的とした作品を書く上で重要だと気付いたポイントを、幾《いく》つかのカテゴリーに分けてまとめたものです。

内容にはいる前に、ご存じない（たぶん多くの）方のために少しだけ自己紹介させてください。私は主にＳＦやファンタジーの書き手で、（年齢の割に）キャリアはあまり長くなく、まだまだ学ぶところも試行錯誤も多いという立場です。また、小説を書くときの基本的なスタンスとしては、少しでもたくさんの人に楽しく読んでもらうこと、少しでも面白がってもらうことを目指しています。

そんな人間が重要と感じたのが、これから述べるポイントになります。

それでは、早速始めていきましょう。

※本稿は、二〇二一年に開催されたさなコン1にて、その全ての応募作を読んだ門田さんがそこで見えてきたものをまとめた「さなコンスタディーズ 2021 Summer」を全面的にリライトしたものです。
https://sfwj.fanbox.cc/posts/2574881
https://sfwj.fanbox.cc/posts/2574889
https://sfwj.fanbox.cc/posts/2574902
https://sfwj.fanbox.cc/posts/2574897

1　自分の強みと勝負するポイントを考える

最初にお話しするのは、物語を書く前の話――つまり、どうやってコンテストで勝ち抜くかを考えるという、戦略立案についてです。

さなコンは、共通の課題文から始まる（第二回においては課題文で終わる、も可）作品であることが、応募要項の一番目に置かれているコンテストです。

その第一回の選考結果発表を終えたのち、私はさなコンではどうやって他の応募作品と差別化を図るかが重要であるということと、そのための考え方をまとめて「さなコンスタディーズ2021 Summer」という文章を公開しました。

なぜなら共通課題文は様々な要素や状況を含んでおり、それを利用することが要項である以上、応募作品にはどうしても共通する部分が出てきてしまう=似たような作品が集まりがちになってしまっていたからです。そしてその傾向は、必然的に、選考にも影響を及ぼしていました。

たとえば、第一回の共通課題文は、

〝朝テレビのスイッチを入れると、ニュースキャスターが「おはようございます。世界の終わりまであと七日になりました」と言う。〟

というものでした。

この一文から素直に物語を続けてしまうと、リビングなり寝室なりでテレビを見ている主人公、という場面になりがちで、実際にそうした作品は多く見られました。もちろん主人公のキャラクターや個々の状況、その後の展開はバリエーションに富んでおり、それぞれ異なる作品となってはいます。ですがそれでも、たくさんの作品が寄せられるコンテストでは、似た状況から始まったり同じような場面を含む作品がいくつも集まると、集まったぶんだけ個別作品の印象は薄くなってしまいがちです。つまり単体の作品としてはよく書けていたとしても、それだけでスタートラインが後ろに下がってしまうのです。

これは大変にもったいない。ですから作品の全ての要素とは言わないまでも、共通課題文に含まれる要素や状況を素直に使わず、頭を絞って他の作者が思いもつかないだろう使い方をして作品の独自性を確保しましょう——それが、「さなコンスタディーズ2021 Summer」の趣旨でした。

共通課題文の利用が求められるさなコンではこうした傾向が顕著になりますが、それ以外のコンテストでも（そして実のところデビュー後もずっと）類似の問題はやはり発生します。

たとえばテーマ指定のコンテスト。「時間」がテーマと言われたら、少なくない数のタイムマシンものやループものが寄せられるのではないでしょうか。加えてその内容も、コンテストの開催時点に注目されているトピックを扱うものが目に付きそうです。たとえば数年前なら感染症やパンデミック、最近なら進化し身近になったＡＩとそれによる生活の変化などですね。

実際にはこれは、コンテストの応募作に限った話ではないだろうと思います。なぜなら現在この国で日本語を用いて小説を書こうとする人の多くは、少なくない背景を――生活環境を、社会の状況を、世界で起きている出来事を、それらから発生する問題意識を、全てではなくても幾《いく》らかは共有しているからです。それに加えてジャンルやテーマ、共通の書きだし文など着想の元になるものが特定されればされていくだけ、作者のあいだで共通する部分は多くなっていくでしょう。

そして、知識や経験、情報がある程度共通している人が素直に思いつくアイデアや展開は、他の人も同じように思いつくものなのです。

とは言え、〝よくある〟こと自体は悪いことではありません。実際、物語には〝よくある〟パターン、類型がありますね。昔から使われているものだと、成長譚《せいちょうたん》とか貴種流離譚《きしゅりゅうりたん》*1とか復讐譚《ふくしゅうたん》とか異種婚姻譚《いしゅこんいんたん》とか。最近だと〇〇もの、と言われたりしますが、たとえば異世界転生ものや悪役令嬢《あくやくれいじょう》ものもそうですね。こうした類型を使った作品が多いのはそれらに人気があるからで、なぜ人気があるからと言うと面白いからです。面白いから多くの人が書きますし、たくさんの作品が生み出されるのです。それらの作品を楽しんだ人が、

＊1　貴種流離譚
若い神や英雄、高貴な血筋の若者が、故郷を離れてさまよいながら試練を克服し、成長する物語のこと。

自分も同じような作品を書いてみたいと思うことも多いでしょう。そうして作られた作品がまた人気を呼び、読者が増え、書き手も増え、人気の類型ができ上がっていくのです。読者にとっても書き手にとってもマーケットにとっても、大変喜ばしい状況だと思います。

ですが。ことコンテストにおいては話が変わってきます。なぜならば前述したように、同じような作品がたくさんあると必然的に個別作品が埋もれがちになるからです。即《すなわ》ち、人が多く集まる場所はレッドオーシャン[*1]で、どうしたって勝ち抜くのが難しくなってしまうのです。

このレッドオーシャンで生き残るためには、海中に沈んでしまわないだけの強さを作品にもたせることが必要です。ライバルとは違う、自分だけの独自性――小説で言えば、文章力や構成力、キャラクター性などで「他の作品とは違うな」と思わせられれば、それは大きな強みになるでしょう。

もちろん、全ての面で独自性を発揮《はっき》できれば理想的ですが、なかなかそういうわけにはいきません。ですから、できれば作品に着手する前に一度、自分の強みは何か、どうすれば他の作品を圧倒することができるのかを考えるとよいと思います。自分の強みを把握し、それを活かす作品を生み出すことができれば、ライバルに大きく水をあけることができるかもしれません。

もちろん、全く異なるアプローチもあり得ます。即《すなわ》ち他の人が考えつかないようなアイデア、あるいはアイデアの利用方法を生み出して、ブルーオーシャン[*2]に進出するという方法です。もちろんブルーオーシャンであっても、基礎的な文章力や構成力がなければ作品としての評価は得られないでしょうが、少なくとも〝たくさんある中のひとつ〟でないのはとても大きな強みです。とは言え、本当にユニークな、これまで誰《だれ》も思いつかなかったようなアイデアやその利用方法を生み出すのは、新しい金鉱脈を探し出そうとするようなものです。当たれば一獲千金かもしれませんが、苦労して掘り出してもほんの少しの金で終わり＝人気が出な

＊1　レッドオーシャン
競争相手が非常に多く、激しい競争が繰り広げられている市場のこと。

＊2　ブルーオーシャン
競合相手がほとんどいない市場のこと。新しい市場を開拓したり、新たな付加価値を創造したりする戦略を「ブルーオーシャン戦略」という。

いかもしれません。そもそもいつまでたっても鉱脈に当たらないかもしれません。チャレンジするのなら、腹をくくって挑むことが必要になるでしょう。

共通課題文のあるさなコンではどうしても似た作品が集まりがちになってしまうことと、特に第一回では共通課題文で提示された状況を素直にそのまま使った作品がとても多かったため、「さなコンスタディーズ2021 Summer」ではアイデア／アイデアの利用方法の必要性を強調しました。提示された要素のひとつを捻《ひね》るだけで、他の作品とは異なる展開が生み出せる可能性が高いと考えたからです。

一般のコンテストでは、さなコンほど類似した作品が多く集まることはないでしょう。とは言え前述の通り、ジャンルやテーマが絞られれば絞られるだけ、どこか同じような印象を受ける作品は増えていきます。

加えて選者は、コンテスト応募作以外にも非常に多くの作品を読んでおり、その経験に基づいた予想を持ってあなたの作品を読み始めます。これはつまり○○ものだなとか、○○という作品に似ているなどと思われてしまったら、選者に強い印象を残すことはできなくなってしまいます。

予想を裏切り、期待を超える――そのために重要なのは、自分の作品をより魅力的にするために他者との違いをどこでどう出すのか、自分の強みをどう活かすのかを考えることではないでしょうか。

2　梗概《こうがい》を利用して自分の物語の本質を捉《とら》える

どうやってコンテストで勝ち抜くかの方針が決まったら、いよいよ実際の作品に着手することになります。ですが、もしできたら実際に本文を書き出す前に、一度梗概《こうがい》――応募用のあらすじを書くことを検討してみてほしいと思います。なぜなら梗概《こうがい》は、これから書こうとする物語の本質を捉《とら》えるための、極めて有効なツールとして利用できるからです。

さなコンでは、応募の際に結末まで書かれたあらすじ、いわゆる梗概《こうがい》の提出を求めています。

残念ながらあまり評判のよくないこの要項の第一の目的は、もちろん選考の際の手がかりにすることです。ですが実を言えば、梗概《こうがい》を書くことを通して自分の物語の本質を考えて、よりよい作品を生み出す力としてもらいたい、ということも密《ひそ》かに狙《ねら》っていたのです。

後者について認識してもらうために、第二回のさなコン開催時には、日本SF作家クラブのFANBOXで梗概《こうがい》の書き方を紹介しました。*1 そこでも書きましたが、コンテスト応募用の梗概《こうがい》ではとにかくまず、物語のラスト、いわゆるオチまできちんと書くことが求められます。しかしどうせ書かねばならないのであれば、ただ漫然と書くのではなく、自分の物語の本質、読者に伝えたい一番の狙《ねら》いはなんなのかを考えるためのきっかけにしてほしいのです。

物語の狙《ねら》い、本質によって、梗概《こうがい》の書き方はおのずと変わってきます。たとえば『忠臣蔵』*2（最近は知らない人もいるでしょうか）。たとえ大まかな筋立ては同じであっても、この物語を主君の敵を討つ忠義の物語として書くことも、逆恨みによって引き起こされた暴虐《ぼうぎゃく》の物語として書くことも、はたまた職場を失った勤め人が一発逆転を狙《ねら》って失敗した悲喜劇として書くことも可能です。そして自分がどういう物語としてこれを書くのか、なにを読者に伝えたいのかを考えれば、物語をどのように書くべきかも自然と見えてきます。

たとえば暴虐《ぼうぎゃく》の物語として書くとしても、主人公大石内蔵助《おおいしくらのすけ》を冷徹なテロリストめいた人物として書くことも、状況に追い込まれやむにやまれずそうした手段をとらざるを得なかった人物として書くこともできるでしょう。前者であれば読者が恐れるような描写やエピソードがあったほうがいいでしょうし、後者であれ

＊1 左記のURLで閲覧可能。
https://sfwj.fanbox.cc/posts/3633802

＊2 『忠臣蔵』
「赤穂事件」を題材にした、浄瑠璃や講談、歌舞伎などの演目。
赤穂藩主・浅野内匠頭と旗本・吉良上野介の刃傷沙汰において、浅野が一方的に切腹を命じられる。このことを不服とした大石内蔵助をはじめとする赤穂藩の浪士四十七人は吉良邸に押し入り、上野介を殺害した。敵討を果たした浪士の主君に対する忠義心を幕府も認めたものの、結局は市中を騒がせたとして切腹を命じ、浪士たちはその裁きに異を唱えることなく自害する。このような、武士の忠義心や意地を描いた筋立てが人気を博し、映画など映像作品の題材にも度々採用されている。

ば読者の共感を得られるような工夫を加えたほうが効果的かもしれません。たとえ筋立てはおおよそ同じであっても、あなたが書こうとしている物語の本質によって、梗概《こうがい》も、本編の内容も大きく変わってくるのです。

物語を書く前、アイデアをまとめる過程で上記のようなことを念頭に梗概《こうがい》を書けば、力を入れるべきポイントやより効果的な展開、キャラクターの見せ方などが掴《つか》みやすくなります。さらに物語を書き終えてから梗概《こうがい》を読み直せば、作品をより魅力的にするためにどこをどのように強化・改善するべきかの手がかりが得られるでしょう。

いずれにしても、応募要項にあるからというだけの理由で、なんとなく梗概《こうがい》を書いたりＡＩにまとめてもらったりするのはもったいないと思うのです。作品の質を向上させるための絶好の手段として、是非一度、梗概《こうがい》に取り組んでみてください。

3　いかにして読者の感情を揺さぶるかを計画する

どんな物語を書くかが決まったら、いよいよ実際の執筆に取りかかります。

本質を掴《つか》んだ自分だけの物語を、現時点で自分が持つ強みを最大限に活かして書き上げていくわけですが――その際、ひとつ意識しておいたほうがよいと思うことがあります。それが、どうやって読者の感情を揺さぶるのか？ということです。

さなコンの選考時、たくさんの応募作品を読んでいく中で、もったいないと思ったことが何度もありました。

　作品の基本となっているアイデアやその使い方はとてもユニークで、他に似たものを思いつかない。設定や描写が凝《こ》っているのがよくわかる。それなのに、どういうわけか読んでいても楽しいと思えず、場合によっては読み進めるのが辛い。

　そうした作品に共通していたのは、作者が自分の考え出したアイデアや設定を読者に説明することばかりに一所懸命で、それ以外の要素がない、あるいはとても少ない、ということでした。アイデアはわかる、設定はわかる、ストーリーも理解できる。けれど読後感はまるで、よく知らない作品の設定資料だけを読んだかのようでした。

　ちなみに私は、設定資料集を読むこと自体はむしろ好きです。ですが前述のような作品は、残念ながらあまり楽しむことができなかったのです。

　なぜだろうと考えた私がたどり着いた答が、作品を読んでもなんの感情も揺さぶられていないからだ、というものでした。


　設定資料集を読んで楽しめるのは、それを使って作られた魅力的な作品を既《すで》に知っていて、その背景——キャラクターや物語の展開、事件の背後など——を深く知ることができるからではないでしょうか。つまり魅力的な作品をさらに楽しむために設定資料を読みたいと思うのであって、その逆ではないのです。

　作品を知らずに設定資料だけ読んだとしても、感心はするかもしれませんがそれ以上の感情はなかなか湧《わ》いてこないでしょう。凝《こ》った設定の情報だけが提示され続ける作品を読んだ場合もそれと同じです。ここまでよく考えたなとは思うかもしれませんが、それならもっと楽しませて欲しかった、と思ってしまうでしょう。

そして「楽しむ」というのはつまり、感情を大きく揺さぶられるということだ、と私は思います。一言に感情と言っても、その内容は多岐《たき》に渡ります。「面白い」「笑える」「泣ける」「怖い」「どきどきする」……そんなふうに言語化できない、「なんだかわからないんだけどとにかく楽しい」だって、「わけがわからないけれど目が離せない」だって構いません(実現するのはとても難しいですが)。「登場人物の言動に物申したい」「このキャラクターが気に入った」「シチュエーションが大好物」「台詞が最高」のように、ピンポイントで読者のハートをヒットするのも効果的です。

技術書やマニュアル、法典のようなものなら書かれている情報を得ることが目的ですからこうした要素は不要でしょうが、物語の場合はそうではありません。そして感情が揺さぶられる幅が大きくなればなるほど、読者の心にはその物語の印象が大きく残ることになると思います。

読者の感情を刺激するには様々な方法があります。思わず共感してしまう、あるいは反発してしまうほどのキャラクターを登場させたり、絶対にこんな状況には陥《おちい》りたくないと思わせるスリリングな状況を描く。答を知りたくなってしまうよくできた謎《なぞ》、知的好奇心をかき立てるというやり方もあります。文章の美しさや楽しさで先を読みたいと思わせることだってできるでしょう。

どういうやり方でなければならない、ということはありません。ですが書き上げる小説を設定資料やマニュアルとは異なるものにするためには、何らかの方法で読者の感情を動かすべきです。それも可能な限り大きく、あるいは深く。

それができればきっと、書き上げられた物語は読者の心にいつまでも残るものになると思うのです。

4　違和感を抱かせない作品世界を創造し、それを読者に伝える

書き上げようとする物語の梗概《こうがい》がまとまったら、一度その物語の設定について考えてみましょう。設定とはつまり、これから書かれようとしている物語がどんな世界で、どういう状況で、どんな人々が何のためになにをしようとしているのか——などについての情報です。

設定について考えるべきことはふたつある、と思います。ひとつはそれが破綻《はたん》なくまとまり、読者に違和感を抱かせないものになっているか。もうひとつは、いかにして作り上げた設定を読者に伝えていくか、です。

設定自体は、どんなジャンルの物語であっても必ずついて回るものです。現代を舞台にした恋愛を描くにしても、登場人物のプロフィールや人々が住んでいる町、置かれている状況など、作者が文章にするまで読者が知ることができない情報があり、それがつまりは設定です。

それでも現代物であれば、設定すべき情報はそれほど多くありません。読者は世界や社会、人々の暮らしは自分自身と大差ないものと了解した上で物語を読み進めますから。しかしこれが、SFやファンタジー（中でも世界丸ごと現実と大きく異なっている場合）となると話が違ってきます。多くの場合、作品中には非日常要素——読者が暮らしているのではない世界の状況や、見たことも触れたこともないガジェット、経験も想像もしたこともない事件やできごとが含まれているからです。作者はそうしたことの全てを、読者が「この世界／状況／ガジェット／できごとはなんか変だな？」と感じないよう、整合性があるものとして作り上げなければなりません。

破綻《はたん》なく設定を作ることの重要性を、具体的に検討してみましょう。ここでは第一回のさなコンの共通課題文が示しているような、世界の終末まであと数日しかないと予告されている世界を舞台にした物語を考えてみることにします。

その世界で主人公が、残り僅《わず》かな時間を共に過ごすためにかつての恋人に連絡をとろうとしたとします。スマホのアドレス帳から削除してしまった元恋人の連絡先を、主人公は受け取ったものの開封していなかった手紙の中から見つけ、意を決してスマホで連絡を――いやちょっと待って待って。

残り何日かで世界が終わるとなった状況では、もう誰《だれ》も働いてない気がします。だとしたらお店やサービスはもちろんのこと、電気や水道、ガスは使えず、ネットワークは機能せずスマホは圏外どころか充電すらできないのじゃないでしょうか。もちろん食料品や消耗品は手に入らず、ゴミの回収だってやってないでしょうから町は汚れ、やけくそになった人たちは暴動を起こしているかもしれません。そうした状況下でなお何とかして元恋人に会いに行く、というのは面白い物語になりそうですが、スマホで連絡を取り合ったり情報検索してなにかを調べようとしたりするのは何だかおかしくないでしょうか？

それはほら、ＡＩが人間に代わって全部自動でやる時代になっているから、インフラは維持されてるんだよ、とすることはできます。ですがその場合、労働から解放された人間社会というのは現在とずいぶん違っているはずですよね。終末が予告される前の日常生活は、どう変わっていたのでしょうか。警察や消防、軍隊などは？　暴動が起きているのなら治安維持のためそうした組織が動きそうですが、物語中で現れた警察官が人間だったら、先ほどの設定と矛盾を感じてしまいそうです。

もちろん、世界の全てを設定する必要も、考えたことの全てを物語中で説明することも必要ありません。ですが少なくとも作者は、物語で描く部分の背景についてはこうしたことを説明できるだけの理屈をたてる、つまり設定を作っておかねばなりません。でないと、滅亡を知り人々がやけくそになった社会では暴力が吹き荒れているのに、どういうわけかスマホで連絡が取れたりコンビニには食料が残っている上に冷蔵庫が利用できていたりする状況に読者が困惑する、みたいな事態になりかねないからです。

社会秩序が崩壊し、インフラが正常に動作していない環境でスマホが使えるのなら、読者が違和感を抱かないような理屈を考えておくことが必要です。もちろん、そのために完璧に矛盾のない理屈を組み立てる必要はありません。要するに読者が自然と受け入れてくれる、もっともらしい説明ができればよいのですから。

さて、どうにかして終末直前の世界でスマホが使える理屈を作り上げたとしましょう。次に考えねばならないのは、それをどうやって読者に提示するか、です。

小説を書き始めた当初、私が何度もやって不評を買ってしまったのは、作り上げた設定を一から十まで全部説明してしまうことでした。しかも地の文で、あるいは主人公の独白で、ストーリーそっちのけで延々と続けてしまう。幾《いく》らか知恵がついてくると、質問役のキャラクターを登場させて、主人公なり博士ポジションのキャラクターが回答するていで読者に情報を提供する、みたいなことをやったりしました。

もちろんそうしたやり方が効果的な情報もあります。たとえば映画《スター・ウォーズ》[*1]シリーズのオープニングロール。あの有名な文字が飛び退《しさ》っていくシーンでは、今から展開する物語はこういう世界のこういう状況の下でスタートするんだということを、直接的に文字で説明しています。

このオープニングロールが私の地の文による説明と違って効果的だったのは、大きくふたつの理由があると思います。ひとつめは、提供されているのが物語の背景情報——前提部分だけであること。そしてもうひとつは、制作者が「これはさっさと伝えてしまうべき情報」「物語の中で伝える方が効果的な設定は他にある」と意識的に選択していること、です。

スター・ウォーズの制作陣がオープニングロールで提供しているのは、たとえて言うならプレイヤーがこ

＊1 《スター・ウォーズ》シリーズ（ジョージ・ルーカス他監督／一九七七～）

れから遊ぼうとしているゲームのルール部分だけなのです。どんなに面白そうなゲームでも、ルールの部分は伝えなければ遊びようがありません。だからそこは、もったいぶらずにさっさと伝えてしまう。でも、ゲームの中でプレイヤーが知恵を絞るべき部分について——こうすれば勝てますよ、負けないためにはこうするべきです、みたいな情報は伝えない。それはゲームをプレイしながら、プレイヤーが自分で考えて身に付けていくべきものだからです。

小説の設定も同じです。凝《こ》ったことをせず、さらっと提示してしまったほうがいい情報もあれば、物語の中で読者に気付いてもらうほうがいい事柄もあります。それを区分して、伝え方を考えていきましょう。

先ほどの例に戻れば、終末直前なのにスマホが使えることが重要なポイントなのであれば、なぜ、どうやって使えるのかを物語の中で解き明かしたほうがよいケースが多いと思います。逆に、ただの連絡手段として使わせたいだけであれば、辛うじて生きている衛星電話とモバイルバッテリをかき集めたんだとか主人公に言わせて終わりにしてもいいでしょう。

違う例で考えてみましょう。これは「さなコンスタディーズ 2021 Summer」で取り上げた例です。

〝ほとんどの人類が壊滅するほどの災害を生き残った、AとB。パートナーがいるBに秘めた愛情を抱き続けていたAは密《ひそ》かにこの事態を喜ぶが、Bはパートナーを探すため、十日後に戻ると書き置きを残して姿を消してしまう。Aは慌ててBを追うが、途中で落盤に巻き込まれてしまい、自分がもう助からないことを悟る。手元には、一度だけ音声メッセージを送信可能な通信機があった。Aはスイッチを入れると、Bへのメッセージを送る。そのメッセージの内容は——〟

「人類が壊滅するほど」の災害がどんなものか、なぜ二人が生き残れたのかは読者が納得してくれそうな理由を設定する必要があります。そうでないと読者に、物語の都合上二人以外を全滅させたんだな、と早々に醒《さ》めた目で見られかねません。

　そこでここでは、世界規模の手に負えないパンデミックがあって、製薬会社の開発者だった二人は最後の最後、半ばやけくそで動物実験で五十％の効果しかなかった薬を自分たちに打ち、それが効果を発揮《はっき》したからだ――という設定にしたとしましょう。

　二人が置かれている状況を説明するものですから、この設定はなるべく早めに読者に開示しておきたいところです。ですがだからといって、全てを物語冒頭で以下のように地の文で説明してしまっていたらどうでしょうか。


〝二人はほぼ同時に目を覚ますと体を起こした。彼らは製薬企業の開発者だ。二人は、現在世界中で猛威を振るい、ほとんどの人類を死滅させたパンデミックを起こしているウイルスに対するワクチンの開発者で、パートナーがいるBをAは密《ひそ》かに愛していた。三日前、二人は開発中のワクチンを自分たちに接種した。だがそのワクチンは開発中で、効果が出るかどうかは五十％の確率だった。〟


　これは確かにこれから始まる物語の前提です。前提ではありますが、ここまで何でもかんでも地の文で提示されてしまうと、読者は客観的な事実として認識はできても物語の中には入り込みにくくなってしまうでしょう。

　ゲームの例に戻れば、ルールの中でも最初に箇条書きで提示したほうがいいルールと、チュートリアルの中でプレイヤーに体験してもらったほうがいいルールがあるということです。体験して学んだルールや、自ら発見したルールの抜け穴や応用は、プレイヤーにゲームの奥深さや面白さを実感させることになるでしょう。その全てをまとめてリストで提供してしまうのは、プレイヤーに最初から攻略サイトを見てもらっているようなものです。

　たとえば上記なら、パンデミックで人類が滅亡の縁《ふち》にあることはさらっと提示してしまってもいいかもしれません。でも主人公二人の置かれている状況や立場は、もうちょっと引っ張って読者が少しずつ気付くようにしかけたほうが引きも強く、インパクトも大きくなるのではないでしょうか。

たとえば地の文で説明する代わりに、状況描写や心理描写で読者に伝えるようにしてみましょう。この例なら、Ａが目を覚ましたあと周囲を見回して、実験動物がたくさん死んでいる様子を描く。でも一部は生き残っており、その全てにはワクチン接種済を示すマーカーが刻印されている。そしてそれと同じ刻印が主人公の右肩にもある――。

世界的なパンデミックの状況下であることは知っているものの、主人公たちに何が起きているのかまではわからない。それが少しずつひも解かれていくほうが、読者をより強く惹《ひ》きつけ、先を読みたいと感じさせられると思います。

作り上げた設定のどこまでを、いつ、どうやって読者に伝えるか。その選択によって、物語が読者に与える印象はがらっと変わってきます。どうすればより大きな効果を読者に与えられるか――読者の感情を大きく揺さぶることができるのかを考えつつ、設定開示のタイミングと手段を考えてみるとよいのではないでしょうか。

5　その他、考えたほうがよさそうなポイント

最後に、ここまで触れることができなかった細かなポイントを幾《いく》つか列挙しておこうと思います。

どれも私がさなコンの応募作を読ませていただきながら「ここに気を配ってくれたらもっとぐっと良くな

る」と幾度《いくど》も感じ、振り返ってみれば自分自身にもしょっちゅう当てはまっているなと思わされてしまった事柄です。

■視点人物はなるべく固定する

視点人物というのはつまり、「物語をその登場人物が見ているものとして描く」際の対象人物のことで、多くの場合主役になります。

一人称でも三人称でも、視点人物は固定したほうが読みやすくなります。特に短編の場合、視点人物が頻繁に変わると、その都度読み手は物語との接し方をいったんリセットされることになってしまい、没入感が妨げられてしまうリスクが発生します。

もちろんこれは絶対のルールではなく、最後の最後のどんでん返しや、ふたつの視点を対峙《たいじ》させて緊迫感を持たせるなど、計算した上で行うのは構いません。避けるべきなのは、その方が描写が容易だからとか、読者に対する説明が簡単だからといった理由で安易に視点人物や人称を変更してしまうことです。

■読者と情景を共有する

小説を書くとき、作者は登場人物がどんな状況にいるのかを全て把握しているでしょう。ですがそうした情景は全て、設定と同じように作者が描写しない限り読者には伝わりません。

たとえば主人公が〝六畳くらいの部屋でひとりテレビを見ている〟とだけ書かれていたら、読者は築五十年のぼろアパートの一室を思い浮かべていいのか、タワーマンションの最上階を思い浮かべていいのかすらわからず、状況からも主人公からもなんの印象も受けないでしょう。

逆に、〝湿った血の匂《にお》いが充満する暗い地下室の中央、床に直接置かれた小さなテレビを、へたり込み壁に体を預けた男が上目遣いで睨《にら》んでいる〟としたらどうでしょう。それだけで男の正体や背景に興味を持ってもらえるのではないでしょうか。

情景が共有されない場面は、読者にとってCG合成前の画面、つまりグリーンバックを前に役者の演技を見せられているのと同じです。頭の中にある情景を、読者と共有しましょう。それは、読者を物語の内側に引っ張り込むための第一歩だと思います。

■主人公の人となりを伝える

特に意図して隠すのでないのなら、主人公の人となりはなるべく早いうちに読者に伝えた方がいいと思います。

主人公の年齢も姿形もわからないまま話が進んでいくと、読者はそれが明らかになるまで疑問符を持ったまま読むか、自分なりの推測でキャラクター付けして読んでいくことになります。前項と被りますが、それは主人公の姿にモザイクがかかり、ボイスチェンジャーを通した声が流れる状態で映画を見せられているようなもので、読者が小説内に入り込むことを妨《さまた》げてしまいかねません。

もちろん、意図的にそうした情報を伏せて話を進め、ラストでひっくり返すなど目的がある場合はこの限りではありません。ですがそうした場合はちゃんとミスリードさせるような情報をまぶしておかないと、読者は違和感を覚えたり、これは最後に何かあるなと察してしまいかねないので注意が必要です。

■誤字脱字、用語と用字の使い方はしつこく確認する

誤字脱字、用語と用字の誤りはそれだけでマイナスの印象を持たれてしまいます。何度も見直し、また言葉の使い方で自信がないものについては辞書を引くなどして確認しましょう。

誤字脱字については、同じ環境で何度も読み直していると無意識のうちに読み飛ばしてしまって見つけにくくなることが多いため、印刷してみるとか、縦書きと横書きを切り替えてみるなどするのも有効です。

おわりに

ここまで長々と述べてきた上で今さらなのですが、私は小説の書き方に決まりはないと思っています。ですから、私がここまで書いてきたことは必ず守るべき基本でも、手早く上達するための秘密のTipsでもありません。

一方で私は、小説というのは読者に読んでもらって初めて完成する、とも思っています。ですから、何とかして読者を呼び込み、少しでも深く自分の作品の中に浸《ひた》って欲しいですし、そのためにはどうすればいいかをずっと考え続けています。

そうした人間が書いたのが、本稿です。ここで述べた全てが、小説を書こうとする多くの人たちにとって有効だなどとは全く思っていません。ですがそれでも、私がさなコンの運営と選考を通じて得た気付きのうち幾《いく》つかが、あなたの作品をよりよいものにできるきっかけになってくれたとしたら、とても嬉《うれ》しく思います。

最後に改めて、さなコンに参加し作品を応募してくださったみなさんと、ご助力いただいたピクシブ株式会社のみなさんに感謝を伝えたいと思います。どうもありがとうございました。

門田充宏（もんでん・みつひろ）

一九六七年、北海道根室市生まれ。二〇一四年、「風牙《ふうが》」で第五回創元SF短編賞を受賞。二〇一八年には受賞作を表題とした連作短編集『風牙』（東京創元社）が刊行される。代表作は同書と同一設定の短編連作《記憶翻訳者》シリーズ。二〇一九年には日本SF作家クラブに入会。翌年から理事を務める。

翻訳者

小説にかかわるお仕事②

世界との架け橋

　翻訳者と編集者は共同作業者であり、チームであり、同じ作品を愛する仲間である。少なくとも私は翻訳書籍編集者として、そう思っている。

　翻訳書籍の企画が始まるきっかけはだいたい四パターンだ。原書が売れている本だから版権を取得するか、日本と海外の出版社や著者をつなぐ版権エージェントから紹介されるか、編集者が自分で探してくるか、あとは翻訳者が持ち込んでくれたレジュメを検討するか。これを読んでいる翻訳編集のみなさまは、どうやって企画を立てていますか。

　私はもともと洋書を読むのが趣味だから自分で作品を探すことも多いし、自分の基準に照らし合わせて「これが日本で読まれるようになれば世界が少し良くなるはず」という期待を持って担当作品を世に出すことに誇りを持っている。けれど同時に、じつは翻訳者の方々が作ってくださるレジュメが大好き。愛があるから。翻訳者本人が読んで感動して、どうしても自分が訳したいと思って、作っていることがほとんどだからだ（編集者からレジュメの作成をお願いすることもあるけれど、そのときだってきちんと作品に敬意と愛を持って読み通し、あらすじや美点を紹介するレジュメを作ってくれる）。編集者はそのレジュメを読んで、どうやったら日本の読者にその作品に対する興味を持ってもらえるかを考えて企画書を作り、社内の「売れるんですか？」の声とがんばってたたかう。ここで通らないことには何も始まらないので、がんばる。

　企画が通ったら前述の版権エージェントに仲介してもらって会社で翻訳権を購入する。そして翻訳者に依頼をして、翻訳原稿（訳稿）が上がってくるのをわくわくしながら待つ。

　訳稿が上がってきたら、大喜びでまず一回読む。その本に出会うきっかけが何であっても、翻訳が終わるまでにはだいたい原書を読み終えているから、「ああ、あの表現がこんな文章になるのか……あの物語は、日本語で読むとこんな感じになるのか……」と思いながら読む。贅沢《ぜいたく》すぎる。このとき、ゲラ（文章を本のページの形にした紙の束）にするための本文設計のことも同時に考えている。海外文学は版面（本になったときの本文の見た目）がみちみちに詰まりがちだけどこの作品はゆったり読みたいから一ページあたりの文字の量をすこし減らそうかな、とか、一気読みしたい雰囲気だから章が終わったらすぐ次のページから新たな章を始めよう、とか、考えを巡らせるのもまた楽しいのだ。

　ゲラになったらまずは初校で原文照合をする。翻訳されていない文章がないか、あるいは誤訳、ニュアンスの違いがないかを一文一文確認していくのだが、だいたい翻訳者の技量に感嘆し、憧《あこが》れを募《つの》らせることになる。文章の意味を変えずに原文の文体や文章の声を的確に日本語に写しとる力は、決して一朝一夕に身に付くものではないだろう。文字通り、翻訳者の方々の努力の賜《たま》物《もの》をお預かりしている、という気持ちに背筋が伸びるし、この上なく嬉《うれ》しくなる瞬間だ。そして、ここで誤訳や訳抜けが見つかったとしても、進行上何の問題もないし、もちろん翻訳者の力不足では全くない。一冊の本を一文一文たんねんに読むこと自体が途方もないことなのだから、まずは翻訳という大仕事を成し遂げた翻訳者を讃《たた》えたいといつも思っている。それに、みんなで補い合って翻訳作品をブラッシュアップするために校正者と翻訳編集者がいるのだから。

　原文照合が終わったら翻訳者にゲラを出して、戻ってきたら修正を反映したゲラを作る。私の場合は、再校は日本語としての文章のブラッシュアップに徹することにしている。言語が変わってもちっとも色褪《あ》せない作品の素晴らしさを再確認することもあれば、翻訳の妙で新たな魅力に気づくこともある。素敵な訳文には「ここ素晴らしいです！」とか、ハートマークとか、つい書き込んでしまう。翻訳小説の編集は、なんと楽しいことだろう！　ゲラが綺麗《きれい》になったら、同時進行で進めていたカバーと一緒に入稿して、翻訳者とのお仕事は一旦《いったん》おしまい。だけど作品によっては刊行後にイベントにお呼びしたり、幸運なことに何か賞をいただいたときには授賞式に登壇していただくこともある。翻訳者と翻訳編集者は、作家と編集者とはまた違った、言語を愛でるものたちが持つ独特の連帯感を持っている……と私は勝手に思っている。

　市場の縮小や、発注者と受注者あるいは企業とフリーランスの権力勾配《こうばい》をはじめとしたさまざまな要因から、現時点で翻訳者は「作業量と報酬《ほうしゅう》が見合っていない仕事」「なかなか食っていけない仕事」になってしまっている。同じチームの一員で、また本と翻訳が持っている越境の可能性を愛する仲間として、翻訳者が今置かれている状況にずっと心を痛めている。私もまだ有効な解決策を見出せてはいないが、諦《あきら》めるつもりはない。時間がかかってしまうかもしれないけれど、作品への愛が搾取《さくしゅ》にならない方法を模索して、必ず見つける。

（堀川夢）

校正者

小説にかかわるお仕事③

校正でブラッシュアップ

執筆・改稿という産みの苦しみが終わり、いよいよ自分の小説がゲラになった！　編集者から届いたゲラには鉛筆で書き込みがびっしり。よくみると、明らかにちがう二人の筆跡がある。私は誰《だれ》と誰《だれ》の鉛筆に応答しているんだ……。

そんな疑問を抱いたことのある著訳者がいるかいないかはわからないが、だいたいの書籍のゲラは校正者と編集者が二人で校正をしている。固有名詞や人名のダブルチェックなど両方が見ているところ以外に、この二人はそれぞれ何をみているのだろうか。

校正について、校正者が書いた書籍や記事はたくさんある。校正とは何か、校正者とは誰なのかを知りたいときは、それらのテクストをぜひ読んでほしい。今回は編集者の視点から、校正者とどのように協働しているかについて紹介する。

依頼の内容にもよるが、校正者は基本的に誤字脱字、表記揺れ、事実関係、差別語などのほか、作品としての辻褄《つじつま》があっているかどうかもチェックしてくれる。表記に関して、特に翻訳ものでは統一してあるのがよいとされているため、校正者は編集者が見落とした表記揺れまで鵜《う》の目鷹《たか》の目で探し出し、鉛筆でピックアップしてくれる。助かる。また、「ここでこの人物が読んでいる本は〇〇年時点で刊行されていません」など、ファクトチェックに関しても、資料を用意して仔細《しさい》に確認をしてくれる。さらに、「死んだ人が生き返っているのですが」「主要メンバーの人数が変わっています」など、「嘘《うそ》だろ」みたいなミスが、多くはないが本当に見つかることがある。著訳者も編集者もなぜか気づかなかった作品の不整合を見つけてくれる第三者の目は、とても心強い。

一方、編集者の行なうゲラチェックの内容は表現のチェックや文体統一、翻訳ものの場合は原文照合だ。大きな表現の違和感については校正者も拾うが、基本的には著訳者の表現を大切にしてくれるため、そこまで多くは指摘されないことが多い。そこで編集者の出番だ。これまでに研究してきた著訳者の文体や手癖の知識を総動員し、この人のことだからここは効果を狙《ねら》って意図的に語尾を揃《そろ》えているだろう、でもそこまで表現上の効果が感じられないかも……というときに「ここの語尾、『～った。』が続いていますが、効果を狙《ねら》ったものでしょうか？　片方を体言止めにした方がより臨場感が出る？」などと入れたりする。

さらに翻訳編集者の場合、初校校正時に「原文照合」というイベントが発生する。原書とゲラの同じ文の部分をひとつひとつ照らし合わせ、誤訳や訳抜け、ニュアンスや文体の違和感がないか、原作のヴォイスを反映できているかなどをチェックしていく。「間違ってはいないんだけどいまいちしっくりきていないな」と感じたときは、編集者が別訳案を提案することもある。反対に、「これをこう訳すのか、なるほど、翻訳者はすごいな……」と感嘆することもとても多い。

編集のフローとしては校正者↓編集者↓著訳者の順でゲラをチェックするため、校正者と編集者の鉛筆はひとつに統合されている。著訳者と直接やりとりをするのは編集者のため、校正者からの鉛筆で「これは伝えなくていいな」「ここはあえてやっているので……」という部分は消させてもらうことも多い。校正者からゲラがきたらそのままの状態でスキャンをとったり、消した部分をメモに控えておいたりして、参照できるようにしておく。

校正者が入って違う視点からゲラを見ることにより、重要事項のダブルチェックはもちろん、著訳者一人、あるいは著訳者と編集者だけでは気づけない部分をブラッシュアップできる、というメリットがある。とくに、物語が完成した時点での最初の読者として、第三者からの重要な指摘を入れてくれる校正者は、書籍の制作に欠かせない存在だ。

最後に、ゲラ校正を経験したことのある著訳者の中には、鉛筆で修正を提案されて、自分の大切な部分を否定されたように感じてしまったことのある人がいるかもしれない。伝え方が不十分なのは編集者のせいなので、それはとても申し訳ないが、校正者や編集者も著訳者を落ち込ませたり意地悪を言ったりしたいわけでは決してなく（そんな書籍制作者いやすぎる）、最高の文章、最高の作品にするため、あくまで「表現に対して」ブラッシュアップしようとしているだけなのだ。どうか、一緒に最高の小説を作らせてほしい。

（堀川夢）

第二部　フィクションとの向き合い方

え？　科学技術とＳＦって関係あるんですか？　本当に？

宮本道人

この論のテーマは「科学技術とＳＦ」です。

ちょっと詳しい人に「科学技術とＳＦ」ってテーマをふると、この二つが関係あるなんて当然でしょ、と返してくる人が多いんですが、「え？　関係あるんですか？」って反応が返ってくることも多々あります。

というのも、そもそも「ＳＦ」が「サイエンスフィクション」の略であり、何らかの科学が関係することが多い、という前提を知らない人も多いからです。なんかアヤシイ宇宙人とかが攻めてくる作品、くらいの認識の人、めっちゃいるんですよね。

ただ逆に、もうちょっと詳しい人には、この前提を否定されることもあります。科学が関係していないＳＦもあるよね、みたいな、鋭いツッコミです。

ＳＦには色んな定義付けができるし、そこが楽しいところではあるのですが、今回はひとまず、「この世界の別の可能性を見せてくれるもの」をＳＦと考えることにしてみましょう。

すると、単に「科学技術が登場する」以外で、科学技術とＳＦの関係はさまざまに広がっているのだ、ということが見えてくると思います。

ということで、まずは身近な話題から、その一例を示したいと思います。

1　メタバースとアバターという言葉はＳＦ小説から生まれたけど、だから何？

フェイスブックＣＥＯのマーク・ザッカーバーグは二〇二一年、社名を「メタ」に変えることを発表しました。これまでＳＮＳを中心として事業をやってきた企業でしたが、これからメタバース企業に転身していくよ、というのです。以来、それまでマイナーだった「メタバース」という言葉はバズワードになり、さまざまな企業が投資を行う対象になりました。

この「メタバース」とは、インターネット上で複数人が交流可能な３Ｄ空間を意味します。ユーザーはこの空間にアバターでアクセスし、経済活動を行うようになるのだ、と多くの人が考えた結果、さまざまな（玉石混交の）メタバース関連サービスが今も宣伝されています。

この「メタバース」と「アバター」という言葉は、実はＳＦから生まれた言葉です。ニール・スティーヴンスンの一九九二年のＳＦ小説『スノウ・クラッシュ』に初めて登場するんですね。

彼は巻末の謝辞にこう記《しる》しています。

本書で使われている意味での〝アヴァター〟と、〝メタヴァース〟という用語を作り出したのはわたしであり、それは〝ヴァーチャル・リアリティ〟といった既存の用語が気に食わなかったからであった。[*1]

この『スノウ・クラッシュ』は、出版当時のアメリカのシリコンバレーで大流行しました。そして、起業家やエンジニアたちがこの本を片手に議論することで、イマジネーションが大いに刺激され、そこから多くのＩＴビジネスが育っていきました。

ＳＦには、こういうふうに新しいビジョンを人に提示し、社会の科学技術を大きく変えていく機能があります。

ちなみに、この小説をいま読むと、メタバースに入るためのツールの描写はわりとテキトーに感じます。本格的なＶＲゴーグルを気軽に手に入れることができる今の時代から振り返ってみると、当時はこのくらいの想像力しかなかったんか……という気持ちになります。でも実は、描写された「未来予測」が当たっているかどうかというのは、ＳＦのミソではありません。そこに気をとられてしまうと、ＳＦの真価は理解できなくなります。

よく、ＳＦの何がすごいか、というのを説明する際、登場する科学技術が、細かく、正確に描写されているんだ、ということが話題になったりします。

でも、それは既存の科学技術にあわせているだけだったり、たまたま未来予測が当たっただけに過ぎません。むしろＳＦの重要なポイントというのは、これまでにない斬新《ざんしん》なビジョンを見せることにより、「そこに登場する科学技術を一部でも実現しよう」「そこに登場する社会になるように自分にできることをしてみよう」といった感情を多くの人に想起させることにあります。あるいは、「こういう科学技術は危険だから

＊1　ニール・スティーヴンスン『スノウ・クラッシュ〔新版〕下』（日暮雅通訳／早川書房／二〇二二）434ページより引用。

規制する方法を議論しよう」「こういう社会にはしたくないからデモをしよう」といった考えを持つことにもつながるかもしれません。

「そんな大げさな……実際にSF作品が社会を変えた例なんて他にそんなにないだろう」と思われた方もいるでしょう。いやいや、実はめちゃめちゃあるんですよ。

例えばアマゾンの電子書籍リーダー「Kindle」は、『スノウ・クラッシュ』の著者が出した別の本『ダイヤモンド・エイジ』[*1]に登場する〈初等読本《プリマー》〉を参考にして作られたことが明かされています。

あるいは、「言葉を作り出した」って話では、みんなが知っている「ロボット」や「サイバースペース」なんて言葉も、SF小説由来です。もうちょっとマニアックなところでは「重力子《graviton》」「生物工学者《biotechnician》」なんて言葉も、SFから来ています。

え？　なんか遠い話で実感が湧《わ》かない？

じゃあ、日本の例も挙げましょう。

僕の友人に、幼少期から「ドラえもんをつくりたい」と夢見て、その実現に力を尽くしている、日本大学文理学部准教授の大澤正彦《おおさわまさひこ》くんという研究者がいます。彼は実際に学生時代に、「ドラえもんを作る」と書類に書いて、「学振」[*2]と呼ばれる予算を取ったことを語っています。その後も彼はずっとドラえもんの夢を追いかけ、実際にコミュニケーションロボットを開発したり、八面六臂《はちめんろっぴ》の活躍をしています。

ここでの重要なポイントは、彼の作るロボットが、「ドラえもんそのものではない」というところです。正彦くんは、ドラえもんの一要素「友達のように交流できる」にフォーカスして、まずは研究を始めたのです。

この「要素分解」が、SFを実現していく思考のキモです。SF作品を見たときに「こんなのは絵空事《えそらごと》だ」と切って捨ててしまうか、「この部分だけでも実現できるように頑張ってみよう」と考えられるか。社会を変えてきたビジネスパーソン、エンジニア、研究者には、後者の思考のひとが多く存在します。

＊1　ニール・スティーヴンスン『ダイヤモンド・エイジ』上下巻（日暮雅通訳／ハヤカワ文庫SF／二〇〇六）

＊2　学振　独立行政法人日本学術振興会が給付する研究奨励金および科学研究費。

「この言葉はＳＦ由来です」とか「この研究はＳＦに影響を受けています」とか言われただけでは、「だから何？　ＳＦがなかったとしても、その概念とか研究とかは存在したんじゃないの？」と返される方もいらっしゃると思います。

でも、正彦くんのような、ドラえもんを心から愛し、その一部だけでも再現していこうという熱い情熱を持っている研究者を見ると、同じことを正彦くんに言えるかなぁという気持ちになります。ドラえもんがなかったら、今の正彦くんは存在しないような気もするし、やっぱりＳＦって重要なんだろうなぁ、としみじみ思ったりします。

ＳＦは、こういった形で、企業や研究者に影響を与えたりして、少しずつ社会を変えていっているのです。きっと、そっと。

2　ＳＦプロトタイピングって浅はかだよね、大丈夫？

「こうしたＳＦのちからを、うまいこと利用したい！」という浅はかな人がたくさん出てくるようになったのがここ数年のこと。

その一つが「ＳＦプロトタイピング」「ＳＦ思考」と言われる方法論です。

「浅はか」とは言ったものの、僕は「浅はかであること」は、実はそんなに悪いことではないのではないかと考えています。というのは、浅はかな考えで何かを始めたとしても、後で真の面白さに気づくといったことは、よくあるからです。

好きな人が聞いてる音楽を聞いてみたら好きな人そっちのけでハマってしまった、とか、好きな絵師さんがカバーを描いている小説をジャケ買いしたらドハマリして同じ著者の別の本を読むようになった、なんて経験だって、同じようなものじゃないでしょうか？　まぁ、かくいう僕にはそういう経験はないんですけどね……。

とにもかくにも、そんな「浅はか」な気持ちでＳＦを使おうって人が出てきて、そこから面白いプロジェクトが生まれてきたよって話を、ここでは少ししていきたいと思います。

まず、「ＳＦプロトタイピング」「ＳＦ思考」って何？という解説から。

そんな知らない概念を突然つきつけられると、なんか難しそうに聞こえてしまって身構えちゃうんじゃないか、と思いますが、「おはなしをみんなでつくって未来のことを考えよう！」っていうプロジェクトだよ、って言われると、「へー、面白そう」くらいに思えるんじゃないでしょうか。

実際、そのくらいのテキトーな概念が、「ＳＦプロトタイピング」「ＳＦ思考」の正体です。

「ＳＦプロトタイピング」という言葉を提唱したのは、インテルの「フューチャリスト」として活躍していたブライアン・デイビッド・ジョンソンです。

インテルっていうのは、あのアメリカの大企業のインテルです。「インテル入ってる」ってＣＭのやつ。といっても最近はあまりそのＣＭが流れないので、若い人は知らないかもしれませんね。簡単に言うと、パソコンの頭脳みたいなものを作ってる、世界で一番大きいメーカーです。

ブライアンは二〇〇九年あたりから「ＳＦプロトタイピング」という言葉を使い始め、二〇一一年に『インテルの製品開発を支えるＳＦプロトタイピング』[*1]という本を発表しました。この本で彼は、未来の製品を考えるのにＳＦを使えるよね、って考えを提唱して、その簡単な方法論をも示しました。

ここからさまざまな国でちょっとずつＳＦ活用ムーブメントが起こり始めます。

例えば二〇一二年、アメリカのアリゾナ州立大学で「科学と創造センター（Center of the Science &

＊1　ブライアン・デイビッド・ジョンソン『インテルの製品開発を支えるＳＦプロトタイピング』（細谷功監修／島本範之訳／亜紀書房／二〇一三）

Imagination：CSI)」が創設され、研究者、アーティスト、起業家、市民などが交流するようなSFプロトタイピングプロジェクトの研究・実践が行われるようになったり、同じく二〇一二年のアメリカでは、SFでコンサルティングを行う企業「サイ《sci》・フューチャーズ《futures》」が設立され、SF作家が色んな企業にビジョンや製品コンセプトをアドバイスするよ、みたいなビジネスがしっかり成立し始めました。

そうこうしているうちに、フランスではDIA（国防総省情報局）が軍事的脅威を予測するのにSF作家を雇ったり、中国では国営企業の最新技術をモチーフにした短編SFをまとめた書籍が発行されたりして、どんどんSFは「使われる」存在になっていきました。

ただまぁ、どうでしょう、こういうムーブメントというのは、往々にして「浅はか」度合いを増していくものです。

本来はSFって、なんか新しい可能性を考えようぜ、みたいなところが面白いわけじゃないですか。でも、企業が自社の未来は明るいぞって思わせたいがために、自社の製品の今後の可能性を誇大広告するような小説を出したりするようなプロジェクトも散見されるようになっていくわけで、それってどうなのよ、みたいな声が色々なところから聞こえてくるようになりました。

「科学技術とSF」ってテーマに立ち戻って言い換えるとすると、一企業だけに都合のよいように今後の科学技術全体の方向性を誘導してしまうようなことも、SFにはできてしまうのです。

いやいや、SFなんかにそんな力はないでしょ、たかが妄想じゃん、と思われる方もいるかもしれません。でも、一日最大十時間もSFを読んでいたというイーロン・マスクが、火星に行くだのなんだのといったSF的妄想を語り、SF好きの投資家たちから巨額の投資を受けていることを考えると、欧米のオタクコミュニティの力は侮《あなど》れません。

そしてそれは同時に、けっこう古い価値観のマッチョな金持ち白人男性が、大衆に夢を見させるツールとしてSFを使いこなしていることを意味していて、SF作家のチャールズ・ストロスなどはそういう風潮をこっぴどく批判しています。

うん、実際これは問題だと、僕も思います。というか、僕はこういう問題をわりと早くから取り上げて発信していたりはしました。

ただ、だからといって、「全部のSFプロトタイピングが悪だからやめよう」と考えるのは、それもまた浅はかだと思います。むしろ「良いSFプロトタイピング」の方法論を考えればよいのです。

僕はこうした考えで、これまで三冊の関連書籍を書いてきました。

二〇二二年に出版した『SFプロトタイピング：SFからイノベーションを生み出す新戦略[*1]』では、色々なSFプロトタイピング実践者にその取り組みや今後の課題を聞き、『SF思考：ビジネスと自分の未来を考えるスキル[*2]』では、実際に三菱《みつびし》総合研究所という企業と一緒に行ったSFプロトタイピングプロジェクトをまとめました。

二〇二三年に出版した『古びた未来をどう壊す？　世界を書き換える「ストーリー」のつくり方とつかい方[*3]』では、自分の考えたワークショップのメソッドを大量に載せて、どうすれば良いSFプロトタイピングができるかのコツを当時考え得る限り全部書きました。

こういった中で僕は、なるべく色々な人にプロジェクトに参加してもらい、良い未来を考えるだけでなく、悪い未来を考える、といったことに気を配ってきました。

というのは、これまで大企業が未来を考える際、一部の層だけがそこに参画するような形式が多く、いわゆる「フツーの人」が入る余地はなかったからです。でも、SFプロトタイピングのワークショップでは色々な人の目線をふまえてフィクションを作るのが大事！みたいに主張することで、これまで疎外されてきた「一般ピーポー」が、企業の未来ビジョン作りに参画できる流れが作れました。

＊1　宮本道人監修・編著、難波優輝・大澤博隆編著『SFプロトタイピング：SFからイノベーションを生み出す新戦略』（早川書房／二〇二一）

＊2　関根秀真・藤本敦也・宮本道人編著『SF思考：ビジネスと自分の未来を考えるスキル』（ダイヤモンド社／二〇二一）

＊3　宮本道人『古びた未来をどう壊す？　世界を書き換える「ストーリー」のつくり方とつかい方』（光文社／二〇二三）

こういったプロジェクトは、ある意味ではじめは「浅はか」に実施されることで、静かに、こっそりとイノベーティブな存在に近づいていくものだと思います。

そもそもこういった話は、実は『インテルの製品開発を支えるＳＦプロトタイピング』のなかに萌芽《ほうが》が見られていました。この本の最後は、「科学者が作家に、作家が科学者になる」というセクションで締めくくられています。ここからジョンソンの考えを引用して、この節も終わりとしましょう。

> ＳＦプロトタイプの目標は、科学と未来の可能性との間における対話である。科学者や同僚、研究パートナーの間で交わされる対話であり、対話そのものを拡大し、アーティストやデザイナー、ごく普通の人々にまで参加してもらうための手段でもある。[*1]

３　うわ、コイツ物書きだって。研究アイデア盗まれるから気をつけようぜ！

コイツ、ビジネスの話ばかりしていて、研究っぽい話はしないんかい！　科学技術って、企業のなかだけで作られてるわけじゃねぇぞ！「ドラえもんをつくりたい」みたいな研究者の話をもっとせい！　ってイライラしている読者の皆さま、お待たせいたしました。

ここからは研究者とＳＦの関わりについて話していきたいと思います。

といっても、だれだれって研究者はＳＦに影響を受けたよって話をたくさん挙げていくだけだと、単なるオタク目録にしかなりません。

ｉＰＳ細胞で有名になった山中伸弥《やまなかしんや》さんは《宇宙英雄ペリー・ローダン》[*2]シリーズの大ファンらしいよとか、

＊1　ブライアン・デイビッド・ジョンソン『インテルの製品開発を支えるＳＦプロトタイピング』（細谷功監修／島本範之訳／亜紀書房／二〇一三）246ページより引用。

＊2　K・H・シェール他《宇宙英雄ペリー・ローダン》（松谷健二他訳／早川書房／一九七一〜）

「ハーバード白熱教室」がＴＶでめっちゃ話題になったマイケル・サンデルは講義のなかでル＝グウィンの短編「オメラスから歩み去る人々」[*1]の話をしているよとか、ノーベル経済学賞受賞者ポール・クルーグマンは《ファウンデーション》[*2]シリーズに影響を受けて経済学者になったんだってよとか、歴史学者のユヴァル・ノア・ハラリは『21 Lessons』[*3]のなかでＳＦを二十一世紀初頭で最も重要な芸術ジャンルだって言ってるよとか、そういう聞きかじっただけの知識を早口で羅列するオタクにはなりたくないものですね。まぁ、つい流れで話してしまいましたが。

ちなみにこの本と同時期に出版される、大澤博隆《おおさわひろたか》監修・編、宮本道人、宮本裕人《みやもとゆうと》編『ＡＩを生んだ１００のＳＦ』[*4]は、研究者にＳＦからの影響を聞いてみたっていうめっちゃ面白い本なので、ぜひあわせて読んでみて下さい（さらっと宣伝）。

とまぁ、こんな感じでＳＦに影響を受けている研究者は星の数ほど（ホントか？）いるわけですが、もっとＳＦとのつながりが「直接的」な研究者もいます。

というのも、研究者がＳＦ作家になるってパターンも、たくさんあるのです。

たとえば、スティーヴン・バクスター、アイザック・アシモフ、マイケル・クライトン、ジェイムズ・ティプトリー・ジュニア、ロバート・Ｌ・フォワード、デイヴィッド・ブリン、瀬名秀明《せなひであき》さんなど、そうそうたるＳＦ作家の顔ぶれは、みんな博士号持ちです。

あるいはスティーヴン・ホーキングやカール・セーガンといった、研究者としてもサイエンスライターとしても超有名な人がＳＦを書いているパターンもあり、海外ではそういった「越境」は、日本よりかは当たり前に起こっていると思います。

サイエンスライターと小説家の両立というパターンは、日本でも竹内薫《たけうちかおる》さんや藤崎慎吾《ふじさきしんご》さんといった、僕も大好きな作家さんが実践していらっしゃいます。

＊1　アーシュラ・Ｋ・ル＝グウィン「オメラスから歩み去る人々」『風の十二方位』（浅倉久志他訳／ハヤカワ文庫ＳＦ／一九八〇）収録。

＊2　アイザック・アシモフ《ファウンデーション》シリーズ。日本語訳は『銀河帝国衰亡史：ファウンデーション創設』（中上守訳／早川ＳＦシリーズ／一九六八）他。

＊3　ユヴァル・ノア・ハラリ『21 Lessons　21世紀の人類のための21の思考』（柴田裕之／河出文庫／二〇二一）

＊4　大澤博隆監修・編、宮本道人、宮本裕人編『ＡＩを生んだ１００のＳＦ』（早川書房／二〇二四年）

そもそも歴史を遡《さかのぼ》っていくと、ＳＦの起源と言われることの多い作家Ｈ・Ｇ・ウェルズは、学術誌の『Nature』に寄稿するサイエンスライターでしたし、ＳＦという言葉の生みの親、ヒューゴー・ガーンズバックも、エンジニアとして自ら開発した無線機を販売しつつ、世界初の無線雑誌を創刊し、そのなかに自作の小説を載せていたという多彩な人物です。

かくいう僕自身も、こういうキャリアにそもそも憧れて頑張ってきて理学の博士号を取り、大学で研究しながら、ノンフィクションとフィクションの両方を書いています。

ヘンテコな人生設計ではあるので、よく人には「研究者としてうまくいかなかったからライターになったの?」とか「小説家として芽がでないからノンフィクション書いてるの?」とか、見当違いの質問をされたりします。正直に言うと、むかしはイラッときてたりしたんですが、最近は「こんな質問大歓迎!」と思うようになりました。

こういう質問にちゃんと答えて、「どっちつかず」のキャリアを最初から選んでいく面白さが伝われば、みんなブッ飛んだキャリアを目指すようになってくれるのでは?と思うのです。

実際、僕はノンフィクションの書き手としては二流、学者としては三流、フィクションの書き手としては四流、って感じだと思います。というか、はなから一流は狙っていません。でも、そのぜんぶをあわせたキャリアの人のなかでは、間違いなく一流だと自負しています。

たとえば僕の今の研究内容の一つを紹介しますと、ヴァーチャルリアリティで漫才をトレーニングするシステムを作る、というものがあったりします。NON STYLEという漫才コンビの石田《いし だ》明《あきら》さん[*1]との共同研究で、NON STYLEの漫才をＶＲゴーグルをかぶって体験できるシステムを開発しています。こういった研究をする上では、エンタメへの理解が必須となります。そして、ある意味では「ＶＲ」も虚構ですし、「漫才」も虚構です。なので、フィクションをしっかり理解していることが、研究のヒントになるといつも感じています。

＊1　石田明（いしだ・あきら）お笑い芸人。吉本興業所属。お笑いコンビ・NON STYLEのボケとネタ作りを担当。

これはフィクション分野での経験が研究に活きた例ですが、逆に研究分野での経験がライティングに活きた例もたくさんあります。

僕の場合は、企業から「小説を書いて」と依頼されることが多いわけですが、そういうときに、相手の企業のなかで使われている科学技術などをしっかり理解できたり、それをふまえて議論できたりすることが前提になってきます。ノンフィクションの場合もそうです。研究者やエンジニアにインタビューをする仕事もたくさんしてきましたが、そういった場合には自身も研究者であるという視点が当然ながら活きました。また、世の中には自分が知らないこともたくさんあって、そういうことについて書かないといけないというケースはライターにとって多々生じるのですが、それを調べるスキルだったり、専門家の友人がたくさんいるといった環境だったりが、非常に有利にはたらくシーンには何度も出会いました。

フィクションとノンフィクションと研究を行ったり来たりすることで、イノベーティブなアイデアにつながっていく瞬間は、たまらなく楽しいものです。

こういう感覚、色んな人に味わってほしいなぁ。

僕はそう思っているので、研究者に小説を書いてもらう企画を立てたりもしてきました。たとえば情報処理学会の学会誌『情報処理二〇二〇年一月号』の特集では、十三人の現役研究者に小説を執筆していただきました。

小説をしっかり書くのはハードルが高かったとしても、ＳＦプロトタイピングのような小説執筆プロジェクトに研究者を参画させる、なんて企画もたくさんやってきました。

こういう企画をやってみて思ったのは、研究者は科学考証的な側面で正しいものを出す能力に長けているというだけでなく、ブッ飛んだ発想をするのに向いているんじゃないか、ということでした。

研究の世界って、ふつうに生きてきたらあまり知ることがないような、色んな変なものを見る機会が多いんですね。そういったものに囲まれているから、小説的な発想と強制的に組み合わせたときに、えっ、と驚くような発想が出てきたりします。

研究者がフィクションに貢献できる接点って、思いのほかいっぱいあるんですよね。たとえば僕自身もマンガ、小説、舞台などで監修や科学考証[*1]をしていますし、人工知能学会の学会誌『人工知能』では、色々な企業からＡＩをどう使っているかを聞いてマンガで紹介していく連載の原作担当をしていたりしました。

こういった形での協力って、日本ではやはりそんなに話題にのぼることもないですが、海外のＳＦ作品では、謝辞にしっかり研究者の名前があることも多いし、たとえば超大作のＳＦ映画『インターステラー』[*2]では、科学コンサルタント兼エグゼクティブ・プロデューサーとして、ノーベル物理学賞受賞者のキップ・ソーンが参加していて、映画内のブラックホール描写を正確に描くために研究を行い、その成果が科学的にも重要なものなので、論文にまでしていたりします。

この手のプロジェクトは日本ではなかなか少ないし、なんならまだまだサイエンス業界とＳＦ業界の溝は深いと思います。

僕自身が体験した実例をひとつ挙げますと、自分が大学院の修士課程にいた頃《ころ》、同じ修士くらいの学生の集まりで、「自分は科学に関係するフィクションやノンフィクションを書いてます」みたいな自己紹介をしたことがあったんですが、何人かが「うわ、コイツに研究紹介するとアイデアを勝手にどっかに書かれるから気をつけようぜ！」みたいにギャースカギャースカ盛り上がり始めたことがありました。

えぇぇ……修士課程まで来たくせにコイツら偏見まるだしヤンキーやんけ……って当時は思いましたが、いま考えるとなんか変なライターさんが身近でやらかした事例を聞いたのかもしれませんし、そもそもこの偏見は研究者と作家の交流が少ないことに起因している気もしてきて、連中が必ずしもアホだったわけではないかもなぁ……とボサツのような心を持つようになりました。

＊1　科学考証　フィクションの中の描写が科学的見地から見て正確かどうかを検証する。

＊2　『インターステラー』（ジョナサン・ノーラン、クリストファー・ノーラン監督／二〇一四）

そういう経験をしてきたからこそ、「交流の場を作るのは自分の仕事だ」と考えて、僕は積極的に、作家と研究者を混ぜるようなプロジェクトを設計していたりします。マイナスの経験ってめっちゃ糧《かて》になるので、偏見まるだしヤンキー学生さんたちには心から感謝ですね！

4 そんな研究、知るわけないじゃないですか。

いやはや、いつの間にかこの原稿もだいぶ長く書いてしまいました。

皮肉ばっかりで性根《しょうね》の腐った僕の人間性があらわになってしまった気がしますが、まぁそれはSF業界と科学業界をつなぐには必要な犠牲であったと考えて良しとしましょう。

そろそろもう自虐《じぎゃく》芸にも飽きたからさっさと締めてほしい、という幻聴が聞こえてくるんですが、最後に「科学業界とSF業界が交わっていても、交わってることがほとんどの人に気付かれてない事例、多すぎね？」って話だけ、さらっとしておきたいと思います。

っていうのも、僕が講演でそういう事例を話すと、えらくびっくりされることがあるんですね。たとえば世界で一番有名な学術誌の『Nature』ではSF小説が連載されていることがあったり、日本の人工知能学会では、研究者さんと作家さんでコラボする企画を多々やっていて、書籍になっていたりするんですが、研究に興味のある聴衆も小説に興味のある聴衆も、そんなこと全く知らなかった、みたいに言われる方が多いです。

あるいはたとえばSFプロトタイピングが流行し始めた二〇二一年くらいのとき、日本SF作家クラブ現会長の大澤博隆さんをはじめ、ほかにもたくさんの研究者さんや作家さんが中心になってそういう動きの土台を作っていっていたのに、あまりそこらへんの貢献が認識されていなかったように思うんですね。たとえば大澤博隆さんはＳＦ研究をやっているのと同時に、ヒューマンエージェントインタラクションっていうＡＩ分野の研究もしているんですが、この分野ではＳＦ研究を組み合わせている方が他にもいらっしゃって、Omar Mubin さんと Mohammad Obaid さんという研究者を日本に招いてそういう研究を紹介してもらう、といったシンポジウムを開いたりもしていました。こうしたシンポジウムや研究プロジェクトは、一部の研究コミュニティではけっこう話題になっていたんですが、ＳＦ好きの間でどこまで知られていたかというと、微妙なところだったように感じています。

もうちょっと別の角度からも事例を挙げると、僕はいま北海道大学特任助教として、科学技術コミュニケーションを研究・教育する CoSTEP って機関に所属してるんですね。

そこの先生方って、サイエンスカフェとかはもちろん、突拍子もない形式で科学について考えさせる取り組みとかもしていて、めっちゃＳＦで面白いんですけど、ＳＦ業界からはあまり着目されていなかったりするんですよね。例えば奥本素子《おくもともとこ》・種村剛《たねむらたけし》『まだ見ぬ科学のための科学技術コミュニケーション：社会との共創を生み出すデザインと実践』＊1に、演劇ワークショップや参加型展示などの手法が紹介されています。

ちなみに僕自身が担当した二〇二三年度の実習では、受講生が「サイエンス・パフェ」ってアイデアを発案して、駅前のカフェを借り切って、来場したお客さんにパフェを提供し、科学やリスクについて語り合うってイベントを開催していました。＊2テーマを変えて三回実施されたんですが、パフェを通じて遺伝子検査のイメージを体験してもらったり、ミステリー小説風にエネルギーのことを考えたり、お客さんに「災害デマ」を作ってもらったり、毎回ＳＦ的な意匠《いしょう》をこらしていて、受講生の想像力にうならされました。

とまぁ、そんな感じで、ＳＦと科学を横断する奇妙な取り組みは様々なところに落ちているんですが、僕にとっては死ぬほど面白かった「サイエンス・パフェ」の存在を知っている人はこの世界にほとんどいないわけで、それぞれの人間に見えている範囲ってめっちゃ狭いよね、としみじみ思う今日このごろなわけです。

＊1　奥本素子・種村剛『まだ見ぬ科学のための科学技術コミュニケーション：社会との共創を生み出すデザインと実践』（共同文化社／二〇二二年）

＊2　イベントの概要は先のリンクから閲覧可能。https://costep.open-ed.hokudai.ac.jp/event/28617

まぁこれは単発イベントだから、知ることのできる人数が限られてるからね、って部分はあるわけですが、もっと大型の「気づかれてない」って例も出してみましょう。

っていうのも、僕のむかし所属してた神経科学の研究室で作られた概念が、野崎《のざき》まどさんの小説に出てきていたんですが、ウチのラボでは誰も気づいてなかったんですよね……。

もうちょい詳しく言うと、僕は大学院で、東京大学の能瀬研究室っていう、脳神経科学の生物物理を専門にしているラボに所属していたんです。そこでは「メゾスコピック神経回路」っていう概念が当時の中心テーマの一つでして、この言葉自体、能瀬研究室で考えられた造語だったんですね。

で、ラボに入ってしばらくしたとき、あれ、そういえばこの概念どっかで読んだことあるなぁと思いまして、もしかして……と野崎まどさんの『know』[*1]を手に取ったら大当たり。

「メゾスコピック神経回路」が出てきてたんです。

すんごいマニアックな概念なので、野崎さん、どこで知ったんだ……と、その博識さにおどろ木ももの木さんしょの木だったんですが、最近野崎さんにお会いする機会があって、ご本人に直接それを聞いてみたんです。

すると、十年くらい前のことだし、ご本人は最初はぜんぜん覚えていらっしゃらなかったんですが、だんだん思い出して下さり、当時はこういう資料を探っていて、と親切に色々お話して下さりました。

何の話やねん、と思われる方もいると思うんですが、ここで言いたいのは、この事例って、研究と小説の幸福な出会いだけど、あんまりそこがみんなに知られていないものの典型例だと思うんですね。流行ってほしい概念を研究側が打ち出して、小説で取り上げてくれているという流れは、とても良いものじゃないですか。でも、僕が気付くまでは、たぶんあんまりそこに気付いていた人はいなかったかもなぁ、って。

世の中には、こういう、たくさんの愛すべきすれ違いが起きているんじゃないかなぁ、って思うんです。

そろそろまとめましょうか。

＊1　野﨑まど『know』（ハヤカワ文庫ＪＡ／二〇一三）

もう分かっていただけたと思いますが、科学技術はＳＦに影響し、ＳＦは科学技術に影響しています。実にさまざまな形で。

でも、その大半は、だれにも気付かれていません。

だから、「え？　科学技術とＳＦって関係あるんですか？　本当に？」とだれかに聞かれたら、間違っても、「本当ですよ！　あなたそんなことも知らないんですか！」などと怒りながら答えてはいけません。知らないことなんて、当たり前なんです。

むしろ、「いや、たぶん科学技術とＳＦって、なんか色々関係あるんだと思いますよ。でも、まだ細かく調査してる人ってあんまりいないんですよねぇ。面白そうだし、皆さん、一緒に調べていきませんか？」と、丁寧にたくさんの人を巻き込んでいくようにしましょう。

そうでもしない限り、そのひとにとってＳＦなんて存在は、永遠に何物とも関係ないものだと思われてしまったままになるんじゃないか。

僕はそんなふうに思います。

参考文献

『古びた未来をどう壊す？　世界を書き換える「ストーリー」のつくり方とつかい方』（光文社／二〇二三）

『ＳＦプロトタイピング：ＳＦからイノベーションを生み出す新戦略』（早川書房／二〇二一）

『ＳＦ思考：ビジネスと自分の未来を考えるスキル』（ダイヤモンド社／二〇二一）

ＳＦと科学技術を再考する

ＳＦと科学技術の様々な関係を知ったところで、科学ジャーナリスト、エンジニア等、科学に関わる仕事を実際にしている兼業作家たち五名の声を紹介します。小説に科学的な知識を導入する方法、専門家としての矜持《きょうじ》、兼業であることの強み、逆に専門的な知識を持っているがゆえの悩みなど、ＳＦと科学の関係を検討します。

茜灯里（あかね・あかり）　作家、科学ジャーナリスト、獣医師。東京大学大学院理学系研究科地球惑星科学専攻博士課程修了。第二十四回日本ミステリー文学大賞新人賞受賞。元朝日新聞記者。

安野貴博（あんの・たかひろ）　作家、起業家。技術と物語を主なテーマに、ＡＩに関する作品の制作やスタートアップの創業を行なっている。二〇二二年に第九回ハヤカワＳＦコンテスト優秀賞受賞。

日高トモキチ（ひだか・ともきち）　作家、漫画家、イラストレーター。開志専門職大学専任講師。学習参考書の編集者を経て、『パラダイス・ロスト』（バンブー・コミックス／一九九四）で漫画家デビュー。

宮本道人（みやもと・どうじん）　可能世界作家、応用虚構学者、奇想コンサルタント、空想科学コミュニケーター。東京大学大学院理学系研究科博士課程修了。博士（理学）。北海道大学 CoSTEP 特任助教。

麦原遼（むぎはら・はるか）　東京大学大学院数理科学研究科修士課程修了。二〇一八年、「逆数宇宙」で第二回ゲンロンＳＦ新人賞優秀賞を受賞。多数のアンソロジーに短編小説を寄稿。

●自己紹介

宮本道人（以下、宮本） 今回ご登壇いただくみなさまは、二つの軸を持った方々です。ひとつはフィクション、もうひとつは科学技術に関連したお仕事。近くもあり、遠くもあるこの二つの軸の重なるところについて、本日はお聞きしていきたいと思います。

安野貴博（以下、安野） 安野貴博と申します。作家としては、二〇二二年のハヤカワＳＦコンテストで優秀賞をいただいた『サーキット・スイッチャー』[*1]という作品でデビューいたしました。その前に日経「星新一《ほししんいち》賞」にも参加しています。科学技術に関しては、元々ＡＩに関する研究室に所属していました。今は自分の会社でＡＩを使って楽しいことができないか探っています。

日高トモキチ（以下、日高） 日高トモキチと申します。作家としましては、二〇二一年に『レオノーラの卵 日高トモキチ小説集』[*2]という奇想寄りの短編集を発表しております。もうひとつの軸は、

＊1 安野貴博『サーキット・スイッチャー』（早川書房／二〇二二）

＊2 日高トモキチ『レオノーラの卵 日高トモキチ小説集』（光文社／二〇二一）

自然科学系の漫画家を三十年くらい続けています。

茜灯里（以下、茜） 作家で科学ジャーナリストの茜灯里と申します。二〇二〇年に、第二十四回日本ミステリー文学大賞新人賞を『馬疫』[*1]という作品でいただいています。科学ジャーナリストとしては、『Newsweeks』の日本版ウェブサイトに「サイエンス・ナビゲーター」というコラムを毎週連載しており、書籍化もしています。また、私は地球科学の博士号と獣医師免許を持っているのですが、本年（二〇二三年）七月に化学同人から『地球にじいろ図鑑』[*2]という鉱物、植物、動物を色で分類した図鑑を出版しました。

麦原遼（以下、麦原） 麦原遼と申します。フィクションの面では、二〇一八年にゲンロン 大森望SF創作講座を受講し、『逆数宇宙』[*3]という小説でデビューしました。もう一方では、システムエンジニアなどをしています。

宮本 そして、本日司会を務めます、宮本道人と申します。普段は東京大学VRセンター特任研究員として、「漫才をVRの一人称で体験したら人間はどう変わるか」といった実験をしていて、NON STYLEの石田明さんなどとの共同研究で、漫才をトレーニングできるVRシステムを開発しています。また、サイエンスライティングや文学／映画／ゲーム批評の仕事をしたり、主に科学畑で短編小説や漫画原作も書いています。「SFプロトタイピング」や「SF思考」といった領域で、企業の新規事業開発やビジョン研修にSFを使う方法を提案して、実際にコンサルティングをしたりもしています。

●フィクションとノンフィクションの関係

宮本 それではさっそく、小説と、科学技術に関する仕事との違いや、それぞれの領域における書き方で気をつけていることなどについて伺っていきましょう。たとえば何か着想があった時に、フィクションのネタにするか、それともノンフィクションとして書くかは、みなさまどのように決めていらっしゃるのでしょうか。

茜 「あなたはフィクションの小説家なんですか、

*1 茜灯里『馬疫』（光文社／二〇二一）

*2 茜灯里『地球にじいろ図鑑』（化学同人／二〇二三）

*3 麦原遼『逆数宇宙』（ゲンロンSF文庫／二〇一八）

科学ジャーナリストなんですか」とか「どっちをやりたいんですか」とよく聞かれるのですが、私にとってはどちらも同じなんです。自分の中で区別をつけずに文筆業をしているというか。

日本ミステリー文学大賞新人賞をいただいた『馬疫』は、馬の間で新型ウイルスのパンデミックが起こり、人間にも思いもよらない方法で深く影響するという話です。現実の世界でも、近い将来にインフルエンザや新型コロナ以外の新しい人獣共通感染症が流行するのは間違いないと言われているのですが、この問題は記事として書くよりは主人公の目線を通して書いた方がその重大さや怖さが伝わるのではないかと思って小説にしました。

一方で、最近の科学ニュースで話題を集めたものに、韓国《かんこく》の研究グループが世界で初めて常温常圧の超伝導物質[*1]「LK-99」を発見したという報告がありました。成果が本当なら、間違いなくノーベル賞ものなのですが、これまでに学術誌に報告された超伝導物質では、百万気圧以上の高圧をかけて作ったマイナス二十三℃のものが最も高温です。あまりにも一気に記録を更新しているので、「なんだか怪しいぞ」という方向性でコラムを書こうとしたら、中国グループが追試に成功したというニュースが飛び込んできました。この物質は果たして嘘《うそ》か本当か、あちこちの研究グループが躍起《やっき》になって追試をしていて一夜明けたら状況がひっくり返りかねないという、まさに最新科学の現場に立ち会っている面白さがありました。だから、なぜ賛否両論あるのかの部分に光を当てて、急いでコラム記事にしました。

そんな感じで、読者に共感を持ってもらったほうがより伝わりやすいと思えば小説にしますし、時事性やニュースの面白さを打ち出す方がよさそうであればノンフィクションにして、私というフィルターを通しつつ、事実を淡々と伝える方向でいきます。

日高　自然科学に立脚した情報は日々アップデートされます。だから逆にフィクションは色褪《あ》せないものでありたいと思っています。書いたものが実際にそうなっているかは自分ではわからないのですが。「今書いているこの情報は、十年後には絶対に古くなっている」と思いながら書かざるを得

＊1　超伝導物質
特定の温度で、電気抵抗がゼロの状態（超伝導状態）になる物質。

ないようなところが、科学に関するものにはあります。逆に、十年後には変わっているから面白い、というのもありますね。特に恐竜なんてそうですよ。考古学は生物学関係でいちばんアクティブな分野なので。今生きている生き物の中に新種が発見されることは多くありません。ですが考古学には常に新しい研究があり、新しい事実、発見があります。イグアノドンやティラノサウルスの立ち姿も、アップデートされています。そういう面白さをノンフィクションでは伝えたいですね。

宮本　安野さんと麦原さんにも、普段やっていらっしゃるお仕事と、小説執筆でのスタンスの違いをお聞きしたいと思います。

安野　フィクションと仕事でスタンスの似ている部分はあります。私の場合だと、ＡＩ技術などの新しい技術が世の中に出ていくときにどういうことができるのか、どういうことを起こせるのか、ということを考えていたところです。ただ、それが直近の未来で実装可能だったら自分で実装した方がいいし、長期の未来の話であればフィクションという形の方がよいと思っています。小説はわざわざ会社を作ったり人を雇わなくとも成果物を届けられるというのがいいなと思っていて、つまり距離感が違うのかなと思います。

麦原　私の場合は、フィクションを書くときは、その世界の前提条件自体を変えられるということに強い魅力を感じています。科学だったら今ある世界について記述したり究明したりするのですが、フィクションならその前提をいじることができるし、異なる法則などを作れるというところが違うかなと思います。

●専門知識との付き合い方

宮本　執筆において、科学技術に関するバックグラウンドがどう影響するのか、といったことも聞いていきたいと思います。例えば、「参考文献」もフィクションとノンフィクションで「お作法」が違うトピックのひとつです。というのも、フィクションはある意味で自由なので何を書いたっていいという側面が強いわけですが、科学技術に関するライティングでは、参考文献をきちんと書いたり意識しなくてはならないという前提が非常に大きい。みなさんそういうバックグラウンドをお持ちかと思うのですが、そこをどのように切り分けているか、あるいは科学技術をベースにした執筆にどのような困難があるのかをお聞きしたいです。まず日高さん、進化論のコミカライズをされていたと思うのですが、そのあたりはいかがですか。

日高　まずは『ダーウィンの覗《のぞ》き穴：性的器官はいかに進化したか』[*1]という原作がありました。ドイツの進化生物学者であるメノ・スヒルトハウゼン博士が書いた本です。ダーウィンには、十九世紀の倫理観に従って「性生活の進化」からあえて目をそらし続けてきたところがあります。その部分が現在に至るまでにどうアップデートされていったか……というお話なのですが、私はこれをコミカライズしました。

　早川書房との仕事だったのですが、原作の翻訳版をポンと渡されて「これ漫画にしてね」と言われ、「えっ」と思った記憶があります。原作の巻末に載っている参考文献がありますが、これは論文的なものですから当然内容に入れ込まなければならない。そして、ビジュアルにしていくにあたって、絵にするための参考文献や参考のウェブサイトがある。こういう性質の本なので、それらもきちんと書かなくてはならないな、と思い、全ての参考文献とウェブサイトを載せていきました。多分きちんと見る人はあまりいないと思うのですが、出自を明らかにしておくというのは大事かなと思いました。

　あとは、私はデビュー作の麻雀《まーじゃん》漫画の後書きのページに脚注を付けているんです。ネタの出所みたいなものを全部書きました。昔、田《た》中《なか》康《やす》夫《お》さんの『なんとなく、クリスタル』[*2]という作品が「カタログ小説」と呼ばれていて、文章に注釈が付いているというものだったのですが、あれに倣《なら》ったところは若干ありました。とにかく、そのフィクションがどういうことに影響を受けたのか、参考文献をたどっていくということも面白いので、ありだと思っています。

　それから、私を小説の世界に引きずり戻したのは作家の宮内悠介[*3]さんなのですが、宮内さんの本の後ろには必ず膨大な量の参考文献がついています。あの人は一冊書くのに四十〜五十冊読んでい

＊1　メノ・スヒルトハウゼン『ダーウィンの覗き穴：性的器官はいかに進化したか』（田沢恭子訳／早川書房／二〇一六）

＊2　田中康夫『なんとなく、クリスタル』（新潮文庫／一九八五）

＊3　宮内悠介（みやうち・ゆうすけ）二〇一〇年、「盤上の夜」にて、第一回創元ＳＦ短編賞で選考委員特別賞を受賞。同作を表題作とした『盤上の夜』（東京創元社／二〇一二）で第三十三回日本ＳＦ大賞を受賞。

るのですが、それらを全部書いているんです。「こういう本を読んでこういう作品が生まれたんだな」ということを読者が知ることができて面白いと私は思っています。なので、フィクション・ノンフィクションどちらも、参考文献を明記することに意味はあると思います。意味を見出すのは読み手であろうとは思いますが。

宮本　茜さんは参考文献についてどのように考えていらっしゃいますか。

茜　先ほどお話しした『馬疫』という小説では、参考文献の八割ぐらいが原著論文、つまり海外の科学論文でした。「小説の参考文献のページとは思えない」と色々な方に言われました。日本の小説ならば、参考文献は日本語で書かれた書籍主体であるはずだ、ということらしいです。

それから、さっき麦原さんが「フィクションはシステム自体を変えられることに魅力を感じる」とおっしゃっていたのですが、私の場合はパラレルワールドの中でも私たちの世界のすぐ隣にある世界とか、現実とは違うけれど、もしかしたら今の私たちが踏んだかもしれない、行き進んだかもしれない未来を描くのが好きなので、今の科学で説明できることを根拠として膨らませて小説に使う傾向にあります。

麦原　そうですね。参考文献については、書いたときに参照元に迷惑が生じるのではないかということを考えます。特に私の場合は世界の法則の前提を変えるために、「この法則の下でこういった現象が起きるか」という理論立ての発想元として読んだりすることが多かったりするのですが、現実と違うことが作中で起きているとき、参考文献の示す議論や帰結自体を保存した形で取り込んでいるとは限らないので、参考文献として書かれたら迷惑なのではないかということが気になっています。ただ、この対談の打ち合わせを経て、読者が文献を知ることができるというメリットを考えると、それでも書いてもいいのかな、とスタンスが変わったかもしれません。

細かい話だと、分野によって、よく使われる参考文献の表記スタイルが違うため、フィクションでも題材や雰囲気に合わせて参考文献のスタイルを短編ごとに変えたりするのですが、ちょっと頭が混乱することがあります。

安野　いまの麦原さんのお話はとてもよくわかります。やっぱりフィクションだと嘘《うそ》をつかないといけない場面もかならず発生するので、その嘘《うそ》をついた部分の参考文献をあげなければならないという迷いに共感する部分がありました。私も、一番最初に出した『サーキット・スイッチャー』には参考文献を書いて、刺激を与えてくれた資料は全て並べたいと思っていたのですが、ネット上の怪文書も刺激を与えてくれていて（笑）。そのURLを出すのもなかなか……。リンクがずっと続くとも限らないですし、そのあたりはリスペクトはありつつ載せられず。悩ましかったです。

宮本　なるほど。ちなみに、僕はもともと評論ジャンルでデビューしたのですが、ものすごい量の参考文献をつけるのが自分のスタイルだったんですよ。

その後、ＳＦプロトタイピングを始めたときに、参考文献は人とコミュニケーションするためのいい手段になるということに気づいたんですね。というのも、企業とやり取りするとき、物語よりも参考文献にフォーカスを当てたくなるときがけっこうあって。小説内で架空の技術を書いて、それを実現するために必要な研究って何だろうって対話をすることが多いんですが、その時にこちらから参考文献を提示して萌芽《ほうが》技術をイメージしてもらうこともあるし、あるいは企業に「調べてね」とお願いして共作的に進めていくこともあります。

例えば素材系の企業だったら「ここの部分に出てくるこの素材は、参考文献によるとこんな風になってるかもしれません」と企業の方が言ってくれて、小説内の描写に追記してもらうことで対話が成立する、みたいな感じで。ＳＦを読み慣れていない方とのコミュニケーションツールとしても、参考文献が有効に機能することもありますね。

ちなみに先ほど、原著論文を参考文献に挙げると「難しい」と言われるという話が出ましたが、専門的に難解・煩雑《はんざつ》な事例を、お茶を濁《にご》すような形で書くか、それとも読者が頑張ったらしっかり分かってもらえるように書くかなど、専門的な内容があったときにその難しさをどう翻訳するか、という問題にはよく出会うのではないでしょうか。

安野　まさにそれは自分も今悩んでいるところです。対象について、自分の理解度が高すぎると弊害もあるんですよね。嘘《うそ》をつけないというか、自分の中で嘘《うそ》をつくハードルがすごく上がってしまう部分があって。わかっているようでわかっていない、というようなときが、いちばん柔軟に発想できて筆が乗る感覚があります。なので、わかっているようでわかっていない分野を探すとか、新しい分野をわかっているようでわかっていないところまで学んだ上で、発想を飛ばして、仕上げのときになるべく追いつきつつ形を整える、みたいなことができると一番いいんだろうと思いつつ、難しいですね。

宮本　茜さんはどうですか。専門的でわかりにくいことをどう伝えるか。

茜　私の新人賞作品の最終選考では、選考委員の先生方が作品中の科学的に難しい部分について「読者に寄り添って、もうすこし噛《か》み砕《くだ》くべきだ」とおっしゃる方と、「専門用語のわからなさがリズムになって面白いし、鬼気迫るものがある」とおっしゃる方に分かれたそうです。編集者に「さあ、どうしますか」と聞かれたときに、「この作品では、専門用語が説明無しに飛び交う科学者の世界の緊迫したやり取りを見せたいから、あえて説明したり開いたりせずに残す部分も作りたい」と伝えました。

日高　少し話がズレるかもしれないのですが、わかる、わからないというところの尺度に「パロディ」というものがあるのではないかと思っています。特にギャグ漫画を描いているときに、パロディの元ネタがわかるかわからないか、というのがあるじゃないですか。元ネタがわからなくてもいいか、わかった方がいいのかという話をしたとき、「ここがこう面白いんですよ」と説明してしまうと無粋ですよね。書き手としては、そこはわからなくても面白がれるようにしてあげればいいんじゃないかと思います。

私はとり・みき[*1]先生や江口寿史[*2]先生の作品といった「パロディを解説することなく面白く読ませるギャグマンガ」を読んで育っており、フィクションには、元ネタがわからなくてもこれはきっと面白いんだろうなと思わせる部分があればいいので

＊1　とり・みき
漫画家。一九七九年「少年チャンピオン新人マンガ賞」応募作の「ぼくの宇宙人」が佳作第一席に入りデビュー。以降、ギャグ漫画、エッセイコミック、SF・ホラー漫画等を多数手がける。

＊2　江口寿史（えぐち・ひさし）
一九七七年週刊少年ジャンプにて「恐るべき子どもたち」でデビュー。『すすめ!!パイレーツ』（ジャンプ・コミックス／一九七七〜一九八〇）等。

はないかと考えています。設定や科学的な内容について、絶対に分かってもらわないと話が進まないところは噛《か》み砕《くだ》かないといけないですが、そうでない部分でわからせることに拘泥《こうでい》してはいけない。それよりもテンポよく読ませること、これはこういうものなんだ、というぐらいの理解で突き進んでいった方がリーダビリティがあがるのではないか、と考えております。

麦原　これは課題だな、とまず思いました。いくつか言いたいことがあるのですが、ひとつは、自分が読者のときは色々と理論が描かれているものを読むのが好きであり、書くときも、ＳＦとして出すならある程度歯ごたえがあってもよいのではないか、という甘えのようなものがあります。

もうひとつ、日高さんの言っていたことに近いかもしれないのですが、読者の認知の仕方を考えるのが重要だと思っています。ある部分を読むときに、読者は知識を取り入れたいモードにあるのか、得た情報から何かの推理をしたいモードにあるのか、それとも情感に浸《ひた》りたいモードにあるのか、と考えて、ある程度文体や導入などを作ってやることによって、知識のフェーズだったり理論フェーズだったりの入れ方を工夫できるのではないかと思いました。

宮本　僕は物理学専攻の中で神経科学を研究して博士号を取りました。それまでは神経科学っぽい小説も書きたいと思っていたのですが、いざ博士号を取ってみると一気に神経科学の話をしにくくなってしまいました。というのも、「神経科学の専門家」としての人間の言葉には必ず正当性が担保されるものだと思わせてしまうのではないか、と思ったりして。

今は東大ＶＲセンターで働いていますが、ＶＲの話についても外で聞かれたときかなり慎重に答えるようになりました。昔はけっこういい加減に可能性を語るというか、ある意味で雑だけれど面白い言い方をして興味を集めることをしていたのですが。

とはいえ、逆に専門家じゃないと辿《たど》り着けないであろうマニアックな面白さにもアクセスできる立場ではあるので、いつか活かせたらいいなと思っています。

●科学を物語に導入するために

宮本　先ほどの質問で、みなさんそれぞれに「こういう方法があるよ」というのをちらっとお話ししてくださいました。科学技術や自然科学の話を物語の中でどう処理すると分かりやすいとか、こういう風に処理するのがいいんじゃないかとか。そういった、みなさんが持っているテクニックや、これから試してみたい手法などについて、何か考えがあればお聞きしたいです。

茜　私が小説家として肝に銘じているのは、小説って結局お話の面白さで読ませるものだ、ということです。「出てきている科学が面白いね」と言わせてしまうのはちょっと違うと思っています。やっぱり私は、お話の面白さや主人公の心の動き、そういうところで読ませたいなと思っています。でも信頼性の高いニュースを出している媒体でノンフィクション科学記事を書く立場だと、小説でぶっ飛んだお話を書くのもなんだか難しかったりしますね。科学法則を完全に無視した疑似科学のような小説を書くのは、ちょっと抵抗があります。

記事のテクニックについては、私は最近はストレートニュース、つまり「〇〇月〇〇日にこういう事実が発見されました」のような記事は書いていません。コラムは連載の曜日がある程度決まっているので、重大な科学的発見があっても他のマスコミとスピードで勝負するのは難しいんです。なので、やっぱり私なりのフィルターを通すことを意識して、背景を丁寧に書いたり、違う分野の類似性に触れたりして、掘り下げることで差別化することを心がけています。

安野　テクニックというか、困っていることでもいいですか？　ＡＩ系の仕事をしていて、話の内容もＡＩっぽいものが多いのですが、ＡＩを書くのがめちゃくちゃ難しくて悩んでいます。ひとつは進歩が速すぎること。今書いたものが三ヶ月したら全然変わってしまうこともザラで、どういう風に賞味期限をある程度持たせた話を作れるんだろうかというのが悩みポイントその一です。

悩みポイントその二は知性についての話。ＡＩがどれくらい賢いかについての期待値が、人によって全然違うと思うんです。「人間と会話ができるＡＩ」と聞いたとき、すごく出来の悪いチャットボット的なものをイメージする方もいるし、ほとんど人間と同じように会話できて、同じように問題解決ができるエージェントだと見なす人もいます。例えば車の性能だったら描写のしようもあるのですが、ＡＩを登場させるときに、「こいつはどれくらい賢いんだ」ということを端的に表現する方法があまりないんですよね。誰《だれ》か答えのある方がいたら教えてほしいです。

宮本　安野さんに答えが出ないのであれば、答えられる人はかなり少ないでしょうけど（笑）。

安野　やっぱり、ＡＩが現実世界でも使われるようになるので、フィクションの中でもどんどん登場するようになると思っていて、そのあたりを表現する手法を人類社会として発展させていく必要がありそうだなと思いながら見ています。

宮本　本を読んだ後に時代背景というか「本作が執筆された際のＡＩの発展レベルはこうでした」みたいな注釈が自動でつくシステムがあれば、「あ、このときはここまでしかわかってなかったんだ」とかがわかるように……。

安野　当時の空気を思い出させてくれる……。

宮本　そうそう、そういうシステムがあれば便利かもしれないですよね。Twitter（現・X）でツイートに「これは間違った情報です」などのノートがつけられるようになっているイメージで。安野さんはぜひ、ご自身の困り事を解決するシステムをご自身で作ってください（笑）。

日高　そこはおそらく安野さんの科学技術者としての真摯《しんし》な向き合い方ゆえに出てくる疑問でもあると思います。ついさっき聞いたばかりのお話を思い出しました。太田垣康男《おおたがきやすお》さんが長いこと連載していらっしゃる『MOONLIGHT MILE』[*1]という作品があるのですが、この作品を描き始めた時点でＮＡＳＤＡ[*2]という名前だった組織が、途中でＪＡＸＡ[*3]という名前に変わってしまった、という話です。作品としては十年後くらいの近未来を描いていたのですが、その時点でパラレルワールドに入ってしまったんですよね。だから、それはそういうものとして処理するしかなくなっているんです。

私の場合、事実や情報というものは、フィクショ

＊1　太田垣康男『MOONLIGHT MILE』（ビッグコミックス／二〇〇〇〜）世界各地の名峰を制覇した天才クライマーコンビ・猿渡吾郎とロストマンが、更なる到達点として月を目指し、月開発に携わる冒険譚。

＊2　ＮＡＳＤＡ　一九六九年に日本の宇宙開発を担う目的で日本政府が設立された特殊法人。宇宙開発事業団（National Space Development Agency of Japan）。

＊3　ＪＡＸＡ　二〇〇三年に航空宇宙技術研究所（ＮＡＬ）・宇宙科学研究所（ＩＳＡＳ）・宇宙開発事業団（ＮＡＳＤＡ）が統合してできた、国立研究開発法人宇宙航空研究開発機構（Japan Aerospace Exploration Agency）。

ンでは煙《けむ》に巻《ま》くときに使います。荒唐《こうとう》無稽《むけい》な話の中にいきなりポンと事実を出してくる。事実といっても若干都市伝説に近い。例えば、「タルティーニ[*1]が夢の中に出てきた曲を書きつけたのが『悪魔のトリル』という曲だ」というようなものです。いちおう事実なのですが、それを出すことによって、読者を煙に巻くことができるんですね。わりと不誠実な対応で書いてるところがあって……。

　今度刊行される日本SF作家クラブ編『お仕事SFアンソロジー』に私が書いたのは、付け焼き刃の知識で書いたAIの話です。もう本当に「AI全然わからない」と思って、二週間ぐらいホームページを読みふけって、「うん、大体こういう感じかな」というのを書きました。素人だからできる無謀な試みなんですよね。無謀ゆえに、これを真面目に書いてはいけないなと思ってお笑いに走りました。

麦原　私の場合はある種ノンフィクションの面でも悩むことがありました。IT企業に勤めはじめて資料作成時に技術の説明が情報過多で読みにくいと言われたりしました（笑）。ノンフィクションの分野に関しては、例えば、いわゆるAIにおける「賢い」という言葉を乱暴に使ってほしくないというか、そこに抵抗感があります。「わかりやすさ」と言われるものとの向き合い方をどうしていくかということは課題ですね。

宮本　ストーリーの中で語り手を変えると伝え方が変えられる、ということもありますね。例えば、三人称だと物語の中の科学が「本当に」正しいように感じられてしまう場合もあるけれど、一人称だったら、あまり科学がわかっていない人物の視点の場合は間違っている前提になるし、博士や先生の視点なら頭がよさげに聞こえます。

麦原　視点人物の変更は有用ですね。あるいは、会話の中で説明することによって「この人の知識だったら語彙《ごい》はこのくらい、だから説明するとこうなるんだ」と折り合いをつけられます。

宮本　あとは、麦原さんが先ほど言っていたポイントとも近いのですが、「現実と違う」という枠組み自体をどう作るか。「フィクションです」と書くだけでいいのか、どの程度その世界の「前提」みたいなものを作り込むのか、という問題もありま

＊1　ジュゼッペ・タルティーニ　一六九二年生。イタリアのバロック音楽の作曲家・ヴァイオリニスト。

すね。

麦原　とはいっても、フィクションの中でも現実とは違うこと自体を売りにするものと、展開などを売りにしていて現実との違いはサブ要素のものなど、いくつかに分かれるとは思うのですが。現実とは違うこと自体を売りにするときはとにかく大々的に押し出すとして、サブ要素であったとしても、どこかで違うものが起きたということを明示することにより、「ここから先はどんどんフィクション度合いが上がってくんだな」ということを読者に思わせることはできるかなと思います。

宮本　宮下《みやした》あきら『魁《さきがけ》!!男塾』*1では作中に〈民明書房〉という架空の出版社が出てきて、そこが刊行している本からの引用という設定で色々な説明がなされるのですが、そういうのも面白いですよね。それが正しい方法なのかはわからないですけどね。

あるいはいきなり謎《なぞ》の博士が現れて喋《しゃべ》り出すというようなことができるのも、ＳＦの味のひとつだと思います。普通の文芸だったらありえないレベルで突然誰《だれ》かが出てきて、あたかもこういうものがあるかのように喋《しゃべ》って、最後の単語リストのようなところで「こういう議論があります」とかめちゃくちゃインチキが書いてある。あれ好きですよ、僕。

日高　山田風太郎*2作品の忍法のところに、いちいち科学っぽい説明がついていて、あたかもすごく有効な手段であるかのように説明されているじゃないですか。ＳＦではないけれど、ものすごい荒唐無稽《こうとうむけい》でお話の面白さをもたらしていますね。白土三平《しらとさんぺい》さんの『サスケ』*3でも「分身の術の原理はシジュウカラのこの動きから学んだ」みたいなのがあります。シジュウカラはそんな動きしないんですよ（笑）。しないんですけど、それは別として面白く読めるというのは、味付けとしてすごく有効かなというのはあります。

宮本　実際、参考文献にしても、「なんかそれ違うやろ」というのがわかってもそれはそれで面白いっていうのは、やっぱりＳＦの面白さですよね。これが正しいんだ、と納得できるグレッグ・イーガンのようなそれっぽい面白さもありますが、これ絶対違うよというのも面白さだから。

*1　宮下あきら『魁!!男塾』（ジャンプ・コミックス／一九八五～一九九一）

*2　山田風太郎（やまだ・ふうたろう）日本を代表する娯楽小説家の一人。『甲賀忍法帖（こうがにんぽうちょう）』（光文社／一九五九）を初めとする《忍法帖》シリーズが代表作品。

*3　白土三平『サスケ』（光文社／一九六一～一九六六）

●複数軸でやっていく

宮本　次は、みなさんが複数の仕事を組み合わせているのか、それとも切り離しているのかについて伺います。仕事の折り合いのつけ方や、複数軸を持っている人ならではの強みについて教えてください。

安野　私の場合は意図的に両方を近づけています。最近だと、『AIとSF』に書いた話にはChatGPT[*1]のような「ラージランゲージモデル」という大規模言語モデル[*2]が出てくる話なんですけど、じっさいにChatGPTを使いながら執筆をしてみています。執筆過程にもコンテンツの中身にもChat GPTが入っているのは面白いのではないかと思いまして。あとは、『小説すばる』掲載の「ディープ・フェイカーズ」というディープフェイク[*3]の話があるのですが、これもディープフェイクでどこまでできるのか自分で実験をしました。じっさいに声を変えるのも顔を変えるのもできると確かめた上で、そこで得た感情を使いながら話を書いてみました。着想や話のディテールという意味ではプラスになっている感じはあります。……ありますが、すごく時間もかかるので大変だなと思っています。

宮本　僕は不定期で「Abemaヒルズ」というウェブ番組のコメンテーターをしているのですが、以前安野さんがゲストとしていらっしゃったときに、アナウンサーさんの声を一瞬で岸田首相の声に変換していたんです。それだけで「すごいな……」と思ったのですが、さらに面白かったのが、出番が終わるところで安野さんが「新作が出まして」と「ディープ・フェイカーズ」の宣伝をしていて、二つのお仕事をきちんと組み合わせていたことです（笑）。

安野　中身もリンクさせています。ディープフェイクの実演をした後に、ディープフェイクの話ですっていって新作を出しているという。

宮本　本当にこれは見事だなと思いました。

日高　私がいちばん時間を取られている仕事は大学の先生ですね。美術を教えているというよりは漫画を教えている、漫画の先生です。

　それはさておき、漫画と小説という二つの軸で考えていくと、漫画で描けないことを私は小説に

＊1　ChatGPT
利用者の質問した内容に回答する対話型のAIサービス。開発・提供はアメリカのOpenAI社。

＊2　大規模言語モデル
ある言葉に対してどのような単語が後に続くことが多いかという「文章や単語の出現確率」を用いてモデルにする「言語モデル」の一種。大量のテキストデータを使って構築する。

＊3　ディープフェイク
人工知能を用いた画像・映像合成技術。既存の画像や映像を結合させ、本物のように見せかけて作成した画像・映像を指すことが多い。

書きます。視覚的な表現は想像力に加えて自分の画力という限界があるので、そういったリミッターから解放されたい場合、自分が漫画で描けないものを、私は小説にします。

　ですので、小説にはあまりビジュアルがなかったりするんですね、無責任なことに。「絵にしてほしい」と言われると「私よりもしっかり世界観を描きこなしてくれる漫画家が他にいるんじゃないか」と思ってしまうんです。じっさい、私の以前書いた短編を読んで、「これは漫画にしたい」といってくださった先生もいますし、私はそういう切り分けをしています。

安野　漫画と小説で書き／描きやすい題材に違いはありますか。

日高　すごくぶっちゃけて言うと、めんどくさいものは小説にしたいですね。小説なら「人が百万人死んだ」と書いたらそれで終わりですが、これを漫画で描こうと思ったら百万人描かなくてはいけない。実際それを描いてる漫画家さんもいらっしゃるので、そういう方には本当に頭が上がらないのですが。

　あとは、元々が本読みだったので文章の方がイメージが広がりやすいというのもあります。漫画の描き方にも色々あると思うのですが、私はシナリオから入っていくタイプなんですね。漫画家の太田垣康男さん[*1]が、イメージを先に描いてそこに後からセリフを入れていたと聞いて「ああ、そういう描き方もあるんだ」と思いました。そういう意味で、奔放《ほんぽう》なイメージを描きたいときはどちらかというと文字を書き、博物学的なかっちりしたことを描くのだったら漫画の方が描きやすいと思っています。

宮本　媒体をいくつか選べるというのは、補完しあえてすごくいいですね。

茜　私の場合、「ノンフィクションとフィクション」および「文筆とそれ以外」というカテゴリがあるのですが、文筆の中だと、私にとってノンフィクションのコラムや記事を書くのはすごく楽で、救いになっています。コラムや記事では、ネタが尽きるとか書けないということがありません。原著論文を何本読んで三千字でまとめるとだいたい何時間になるなど、計算できるのですごく楽なんで

＊1　太田垣康男（おおたがき・やすお）
一九六七年生。漫画家。代表作は前述の『MOONLIGHT MILE』など。

す。小説でちょっと筆が止まっても、ノンフィクションはすらすら書けるので落ち込まずにすんで、とても救われています。
　文筆とそれ以外の仕事というカテゴリでいうと、私も大学で教えていて、科学コミュニケーションの講義などは文筆で心がけている内容とも近いところがあります。
　それから、私は週に何日か臨床の獣医師をやっています。元々は馬が専門だったのですが、今は犬や猫が生まれてはじめて会う獣医師の仕事をしています。ブリーダーのところやペットショップでワクチンを打ったり健康診断をしたりして「獣医さんや動物病院は怖くないよ」ということを教えていきます。重症の患者は急に容体が変わったり入院管理があったりするので文筆業との兼業は私には難しく感じて、健康な子を診《み》ることを選びました。初めての注射の前に必死に鳴く子猫と「ニャーニャー（大丈夫）」って猫語で話したりしています（笑）。
　色々やってみて、自分には専業作家は向かないなと思いました。色々な世界を見ながら、それを文筆にも活かしたり、ある意味でまったく違う世界にいることで気持ちを切り替えたりできることが、自分の文筆活動を豊かにしてくれると思っています。

安野　三つやってると頭がこんがらがりそうですね。どこにどれだけの時間を投入するかを調整するコツをぜひ教えていただきたいです。

茜　自分が楽にできるスタイルを心がけています。たとえば、十月発売の新書『ビジネス教養としての最新科学トピックス』[*1]のゲラ校正は、新幹線の中でやりました。記事の執筆は二十年くらいのキャリアがあって、わりとどんな状況でも書けるので、資料を読み込んだ後は隙間《すきま》時間を使っています。
　小説はしっかり向き合わないと書けないので、時間をしっかり取ります。そして週のうち何日かは丸一日、子猫や子犬と向き合うのですが、そのときはわんちゃん、ねこちゃんの健康のことで頭がいっぱいです。そんなふうにうまく切り替えができているような気がします。

麦原　兼業だと、強制的に人間関係、刺激が入ってくるのがメリットかなと思います。

＊1　茜灯里『ビジネス教養としての最新科学トピックス』（集英社インターナショナル／二〇二三）

宮本　なんだかみなさん十個ずつくらい軸を持っていますね（笑）。複数の軸を持っている、選択できる余地があるのはいいことなのだな、と改めて認識しました。思いついたアイディアを最適な場所で解放できるというのは気持ちの余裕にも繋《つな》がるし、あるいはひとつの軸で表現したことを別の軸にスライドさせて発想が生まれることもあるかもしれません。

●自由になるための科学技術とＳＦ

宮本　最後にＳＦと科学技術にはどのような関わりがあり、どのような影響を与え合っているのか、みなさんそれぞれの考えをお聞きしたいと思います。

茜　連載の科学コラムや講演のテーマでいちばん人気なのは「未来予想図」についてです。一九〇〇年のパリ万博のときや、日本でも大正時代の雑誌の特集に、百年後の予想があったんです。一九七〇年の大阪万博では「五十年後の未来」がパビリオンのテーマになっていたりしました。ここまでは過去から見た二〇〇〇年代の予想のお話ですが、たとえば総務省は「２０５０年以降の世界について」[*1]という未来予想のまとめを二〇一八年に出しています。二〇五〇年には脳に埋め込まれたチップで無線通信が可能になる、二〇六二年には最初のクローン人間が登場する、といった内容です。

　これらを私は記事、つまりノンフィクションとして紹介しましたが、ＳＦ作家もまた、百年前の人が未来予想していたことや、現代人が未来に思いを馳《は》せていることについて「それは、こんな世界でしょ」と提示する役割を持っているのではないかなと思います。みんなの夢、あるいは漠然と怖いと思っていることを文章として具現化して、読者が「ああそうそう、そんなこともあるんじゃないかなって思ってたんだよ」って腑《ふ》に落ちるという構図です。

安野　自分の中でもよくわかっていないところではあるのですが、ＳＦも第一義的にはやっぱりエンターテイメントであることが大事だと思っています。読み手の方に面白いと思っていただくこと

＊1　「２０５０年以降の世界について」
https://www.soumu.go.jp/main_content/000527336.pdf

が一番大事。ただ、その上で役割を果たすのであれば、ＳＦは未来に対する解像度をいっきにあげられる装置でもありますね。

あとは、ＳＦだけでなく、小説や漫画には人間の脳に対するプロンプトインジェクション[*1]というか、ある一定の情報を流し込むことによって、読み手の脳の世界モデルをちょっと変えられるところがあるので、その意味で、価値観に対しての影響もあるかもしれません。その意味では、社会をよりよくできたらいいなと思って作品を書いています。

日高　ＳＦが本質的に未来予想であるのは本当にそうだと思います。ＳＦプロトタイピングもそこから生まれていますし。「これはＳＦだな」と思ったのは、先日Twitter（現・Ｘ）で話していて、病院食の話がでてきたときです。医療関係者の方々が病院食をすごく考えて作っている、というところから始まった話だったのですが、そこでもらったリプライに、「三年くらい前に入院したとき、食事が全部ゼリーだった」というものがあったんです。食べるとお茶や野菜、ご飯の味がする。でも、全部ゼリー。これはけっこうきついそうです。こういう未来はＳＦ作家が書いていたような気もしますし。未来を予想して、実現できれば楽しいし、実現できなくてもそれはそれで楽しいのではないでしょうか。

麦原　私の場合はむしろ、フィクションは科学や技術を現実的な未来に縛りつけるものから解放することができるのではないかと思っています。「現実」ってのは大きな顔をしすぎなんです。

たまたまこうなっているだけなのに「唯一絶対」という顔をしていて、ここにいるものが全て、なんて。「私たちの未来がどうなるのか」みたいなことばかり考えているけれど、そうではなくて、きっといろんな世界の可能性がありえるのだと思います。科学技術は、いろんな世界について、これからどうなっていくかをシミュレーションできるものでもあって、そういった自由さをフィクションは解放し得る。人間が苦労の中で、どうにかして考え出したさまざまな理論を、広い可能性に解き放つことができるのがフィクションなのではないかと考えています。

＊1　プロンプトインジェクション
対話型ＡＩに対して、開発者が想定していない質問をすることで、個人情報の露呈など開発者の意図しない挙動を引き出すこと。

宮本　僕はＳＦプロトタイピングをするとき、仕事を依頼してくださった企業の社員さんにＳＦを書いてもらうことがあります。でもやっぱり、いきなり現実と違うものを考えるのは難しい。そういうときは、相手のよく知っているものに科学技術を組み合わせたときの可能性を提示してみて、「その先にこういう未来があるんじゃないか」と議論する中で少しずつずらして、想像の範囲を広げていく、というふうに進めます。すると、自分たちが「これしかできないんじゃないか」と思っていた先入観から解き放たれていく。制約を受けている頭、現実から自由になれるというのが、ＳＦの魅力のひとつですよね。

Q&A

Q.　先ほど、科学技術は十年くらい経つともう変わってしまうという話がありました。そのような技術を小説中に盛り込む際には「賞味期限」をどう意識していますか。

安野　そうですね、四、五年の賞味期限があるといいなという感じですね。単行本で出すとしたら、そのあと文庫化される可能性があるので、文庫化の時にも古びていないようにと考えると、四、五年は欲しいな。

日高　私は賞味期限は長い方がいいと思っています。漫画家をやっているせいです。漫画って賞味期限がものすごく短いんですね。連載している漫画などは、ひと月も経つともう書店に並んでいないんですよ。そういうことを考えると、なるべく小説は長く読んで欲しいなと思うので。

茜　私はもう最善を尽くして今の時代を切り取るという感じなんですよね。中身が古びていても、「あの時代を書かせたらこいつだな」とか、「この話はちょっと前の時代から見た未来だからこそ、面白さが際立っているな」とかの感想がいただけたらと思って書いてます。

麦原　その時にその人はこう書いたんだな、でしかないのかなと思います。最終的には。

宮本　雑誌掲載時と単行本になるときでちょっとずつ変わるとか、バージョン違いがあるのも面白いですよね。

Q. 小説を書こうとして参考文献を色々読んでみたけどわからないときはどうしますか。

安野 人を捕まえることはありますね。『お仕事SFアンソロジー』に寄稿する小説は、〈法律×宇宙〉のような話にしたのですが、宇宙法の話とかが文献を読んでも全然わからなくて。ちょうど友人の友人が宇宙法の専門家だったので「ちょっと助けてくれ」と電話して聞いてみたら、結構よかったですね。

宮本 それらしい学会に行って聞いてみるというのを僕はしょっちゅうやってます。会費の高い学会もありますが、安めの研究会のような、数十人しか集まらなさそうなところへ行って、「お前、誰《だれ》?」みたいな空気になりながら「あ、僕こんなことしてるんすよ」みたいなドヤ顔で友達になる（笑）。年代が上の先生方の発表だと友達になってくれないので、学生や同年代くらいの人と仲良くなって基礎文献を教えてもらう、というのは結構やりますね。

Q. みなさんから見て、今後科学はどうなってほしいですか。

安野 僕は科学技術は粛々《しゅくしゅく》と発展していってほしいなと思っています。世界中のAIの開発を数カ月停止させるべきだという旨のオープンレターなどが話題になったりしていましたが、個人的には賛成しません。イノベーション促進に振るのは良い面も悪い面もありますが、総合的に見れば期待値は高いと思います。

茜 今後は、科学の社会実装、社会貢献という面がますます重要視されると思います。その時、とくに生命科学の分野では、倫理面が問題になります。たとえばiPS細胞から受精卵を作って、そのまま赤ちゃんを誕生させてよいのか?とか。もちろん、科学技術を社会に導入する時の倫理的な懸念は、科学者だけでなく非専門家を含めて議論してその都度取り決めを作っていくべきなのですが、「神の領域だから研究そのものが悪」とはなってほしくないです。関係者による持ち出しや意に沿わぬ拡散に何重にも防御策をかけつつ、研究自体は極力自由にできるように、法や施設の整備をしてほしいですね。

日高 現実的には、科学研究に国がきちんと予算を割いてほしいなと思っています。みなさんそう思われていることでしょうが。一九七〇年の万博に実際に行っている年寄りなので、その頃《ころ》のことを思うと、色々な弊害もありましたけれど、やっぱり科学は人類の希望であってほしいなと思います。年寄りついでに申し上げますと、心を忘れた科学には幸せを求める夢がないと思っておりますので。そういうことだと思います。

宮本　科学サイドからも、フィクションの側にもう少し意識が向くといいのかなと思っています。海外だと、例えば『Nature』とかの学術雑誌にＳＦ短編が載っていたりするし、もちろん作家と研究者の境目はあるけれども、越境したりする方達も多いじゃないですか。日本でも作家とコラボしたり小説を書いたりする研究者はある程度はいらっしゃいますが、そこまで多いわけではないし、科学技術サイドからフィクションサイドへの、関係が深まるような働きかけがあったら嬉《うれ》しいなと思います。

※この対談は二〇二三年八月に開催された第六十一回日本ＳＦ大会（Sci-con2023）の企画「ＳＦと科学技術を再考する」の文字起こしを加筆修正したものである。

デザイナー

小説にかかわるお仕事 ④

装画・装幀《そうてい》をデザインする

デザインの力なしに本はできあがらない。もちろん個人制作のZINEなどプロの手が入らない本もあるが、きっと本の形にするときには「何ページの本にしようか」「行数と文字数はどのくらいにしようか」「表紙にはどんな風にタイトルを載せようか」という、デザインについて思いをめぐらすターンがあるはずだ。

今回はとくに商業出版において、編集者がデザインをどのようにとらえ、デザイナーと一緒にどのように制作を進めているのか、ご紹介したいと思う。編集者によって大きくスタイルが異なるところでもあるため、あくまで一例として読んでほしい。

原稿が揃《そろ》ったら、デザイナーに依頼をする。原稿が全部揃《そろ》ってからだれにお願いするか考え始めることもあるし、著訳者から原稿が来る前に「このあたりかなあ」と考えていることもあるし、特に翻訳の場合は原書を読んだ時点で「日本に紹介するなら絶対にあの人だ」というインスピレーションがある場合もある。私（翻訳作品がメインの編集者）の場合、訳稿がくるころには大体の目星がついていることが多い。それから、装幀《そうてい》のイメージをまとめる。イラストにするか、写真にするか、タイポグラフィにするか。タイトルや帯の情報量はどのくらいになりそうだろう。

装幀《そうてい》のイメージはデザイナーが考えるんじゃないの?と思う方がいるかもしれない。でも、この段階で著訳者の次に作品のことを分かっているのは編集者なのだ。魅力を的確にデザイナーに伝えられないと、よいデザインは上がってこない。私はだいたい、物語の舞台や色彩、キーアイテムなどをコラージュしたイメージボードを打ち合わせに持っていく。

打ち合わせでは、作品のあらすじをデザイナーに紹介して、「こうしてほしい」あるいは「これは避けてほしい」ということを伝え、ラフ（デザインにおける「下書き」）提出のスピード感（デザイナーごとにタイミングが違う）を確認してスケジュールを設定する。ここでデザイナーに「面白そう！」と思ってもらえたらこっちのもの。プレゼン力が試される。装画をイラストレーターにお願いしたいけれど、誰《だれ》のイラストがイメージに合うかわからないときは、長考せずに率直にデザイナーと相談することも多い。「あの方なら…！」と教えてもらった人がどんぴしゃだと、デザイナーのリサーチャイメージを汲《く》み取る力に改めて感服することになる。装画を新規制作してもらうときには、イラストレーターや写真家とデザイナーを交えてもう一度打ち合わせをし、イメージを共有する。

デザイナーにボールがあるあいだは、わくわくして待つ。できるだけ早めにタイトルを決めて、適宜《てきぎ》帯の文言や袖のあらすじなど文字素材を送る。帯が思いつかないとデザイナーに迷惑がかかるので気をつけたい……。

デザインが上がってきたら、まずお礼のメールをデザイナーに出し、ひとしきり著訳者や同僚に最高の装幀《そうてい》を自慢してから、作品名や著者名をはじめとした文字情報が間違っていないかチェックして、修正していただくべき点がないか確認する。特に翻訳ものだと、「著者名を訳者名より小さくしてはならない」とか「原題は必ず表紙に大きく載せること」とか細かな決まりごとが契約書に書かれていることがあるので、慎重に。

一方、イメージと大きく外れたものが来てしまったら、リテイクをお願いすることもある。これはデザイナーが悪いのではなく、編集者の言語化不足や情報伝達不足が原因であることが多いので、めちゃくちゃ反省しながら「大変恐縮なのですが……」とデザイナーに切り出すことになる。お互いに少ない負担で最高の装幀《そうてい》を制作してもらうためにも、打ち合わせでのイメージ共有が何より大切なのだ。

諸々の修正が終わったら入稿データや資材表をもらう。単行本の場合、どの紙をどこに使って何色のインクで印刷するか、デザイナーがすべて指定する。資材で遊んでくれるデザイナーが、私は大好き。花布（上製本の天地のノド側に貼《は》られた布）とスピン（しおり紐《ひも》）なんて、なんぼ愉快でもいいですからね。予算から大きくはみ出た資材がないことを確認したら、いよいよ入稿。

見本ができたら、印刷ミスや重大な事故がないか薄目でこわごわ確認したのち、デザイナーさんにお礼の手紙とともにお送りする。今回も最高にかっこいい／かわいい／お洒落《しゃれ》な／とがった本になりました！

あくまで翻訳編集者の一例として、私のデザイナーとの仕事のしかたを紹介した。書籍を制作する上で不可欠なデザイナーやイラストレーター、写真家たちのことを心から尊敬しているし、本というものをこよなく愛している一人のビブリオフィリアとして、装幀《そうてい》にかんする打ち合わせや仕事は何にも変えがたく楽しい。メールにも電話にも慣れている編集者たちとは違って、クリエイターたちは電話が得意だったり、メールが得意だったり、会った方が話が早かったりする。そのあたりをよく確認して、最高の一冊を作れるよう、リスペクトを持って仕事を進めるのが大切だと思う。

（堀川夢）

〝社会〟の中でフィクションを書く

どんな小説も社会の中で書かれ、社会の中で読まれます。特にSFは、スペキュレイティブ《speculative》・フィクション《fiction》（思弁／思索的小説）として、〈いま・ここ〉ではない世界のあり方を模索することに長《た》けているジャンルであり、現実社会に「もしも〇〇が××だったら〜」という〝if〟を持ち込むことによる批評性を発揮《はっき》することができます。

日本SF作家クラブ会員の四名のSF作家に、SFというジャンルにどのような魅力を感じ、SFを通して社会とどのようにコミュニケーションをしているのかをインタビューしました。

※以下のインタビューは、二〇二三年八月に開催された第六十一回日本SF大会（Sci-con2023）の企画「SFと社会・未来」の文字起こしを加筆修正したものです。

SF的ないたずら心で世の中とかかわる

津久井五月

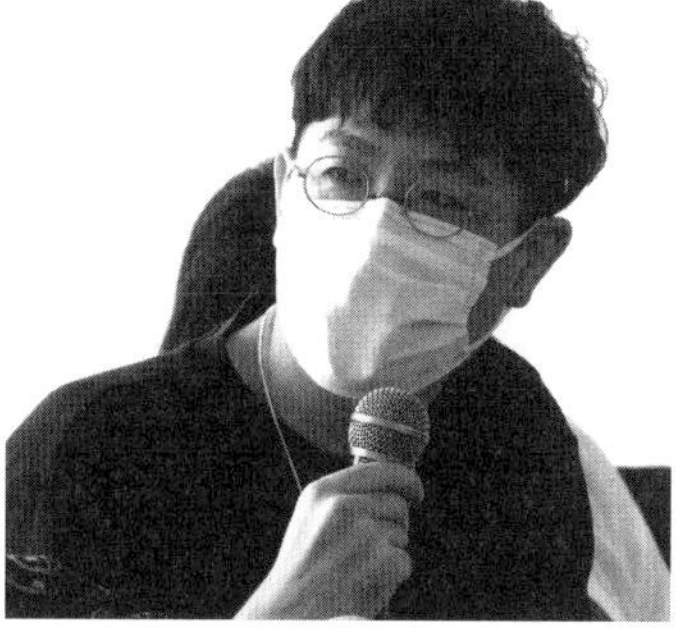

津久井五月（つくい・いつき）
二〇一七年に「コルヌトピア」で第五回ハヤカワSFコンテスト大賞を受賞。二〇二一年に「Forbes 30 Under 30」（日本版）に選出される。〈WIRED Sci-Fiプロトタイピング研究所〉からの依頼により、ソニーグループやNTT人間情報研究所のSFプロトタイピング企画に参加した。

――SFとの出会いや原体験を教えてください。

津久井五月（以下、津久井）　田舎の出身で身の回りに書店もなかったので、家にある本を読んでいました。でもそこにSFの本はほとんどなくて……母が新本格ミステリの世代だったのもあり、中学生まではミステリばかり読んでいました。SFとは高校生の時に出会いました。友人が「SF小説っていけてるんだぜ」という感じで、小松左京《こまつさきょう》『ゴルディアスの結び目』[*1]と、安部公房《あべこうぼう》『無関係な死・時の崖《がけ》』[*2]を貸してくれました。どちらもすごく好きだったのですが、『ゴルディアスの結び目』の次に読んだのが小松左京『こちらニッポン』[*3]だったんです。でもこっちは微妙だなと思って、小松ラインがそこで途絶えてしまって、残ったのが安部公房ラインだったんです。だから、本格SFからは少し外れるお話の方が好きでしたね。

あとは、川上弘美《かわかみひろみ》さんや多和田葉子《たわだようこ》さんが好きで、このラインもたくさん読んでいました。特に川上さんの『龍宮《りゅうぐう》』[*4]という、妖怪《ようかい》が日常生活に溶け込んでくる幻想譚《げんそうたん》がすごく好きで、これをSFと思い込んで読んでいました。

＊1　小松左京『ゴルディアスの結び目』（角川文庫／一九七七）

＊2　安部公房『無関係な死・時の崖』（新潮文庫／一九七四）

＊3　小松左京『こちらニッポン』（朝日新聞社／一九七七）

＊4　川上弘美『龍宮』（文藝春秋／二〇〇二）

市川春子《いちかわはるこ》さんの短編集や弐瓶勉《にへいつとむ》『BLAME!』[*1]などの漫画をきっかけに小説を書き始め、それと同時にSF小説というジャンルがあることを意識して読むようになっていった、という感じです。

——川上弘美や安部公房のどのあたりがSF的に面白かったんですか？

津久井　たぶん僕はSFに対して相反する二つのものを求めているんですよね。川上さんは、ある種の生活感覚がまずあって、その生活感覚を異化するというか、生活に妖怪《ようかい》や幽霊が入り込んできて、それらが出会い、混ざり合って面白い世界ができるというか。ふわふわした読み心地ではあるのですが、基本的には生活の実感が伝わってくる物語が好きです。

　一方、安部公房は違う方向で、特に『カンガルー・ノート』[*2]などには、都市に隠された巨大構造に一気に突っ込んでいくワクワク感、ドキドキ感があります。市川さんは前者、弐瓶さんは後者の面白さがあって、その二つのラインがずっと好きです。

——これまでされてきたSFプロトタイピングのお仕事を紹介してください。

津久井　〈WIRED Sci-Fi プロトタイピング研究所〉[*3]という謎《なぞ》の組織が存在していまして。この研究所が立ち上がる時に相談を受けたという経緯もあって、たまに手伝っています。NTTの人間情報研究所の案件では、デジタルツイン（メタバース）[*4]技術の研究者たちと僕や吉上亮[*5]さんがディスカッションをたくさんしてその内容を小説にし、それを社内で読んでもらって、研究に役立てる、という感じの企画をやりました。僕がお手伝いするものには作品として実際に発表されるものがやや多めで、クローズドのワークショップは少なめです。

　現在、SFプロトタイピングはワークショップ型のものと、作家に書かせるタイプのもので二分されています。ただ、後者は別にSFプロトタイピングと呼ぶ必要はないんですよね。これは依頼原稿の少し特殊なパターンです。企業の人が自分でSF的な発想をするためには、ワークショップに入ってもらって、自分で創作の方法論に沿って考えてください、書いてください、と進めるタイプの方が、本当は「SFプロトタイピング」という言葉に対して正道だと思っています。ほかにも

＊1　弐瓶勉『BLAME!』（アフタヌーンKC／一九九七〜）

＊2　安部公房『カンガルー・ノート』（新潮社／一九九一）

＊3　WIRED Sci-Fi プロトタイピング研究所については152ページ「小説にかかわるお仕事⑤『WIRED』」でも紹介している。

＊4　メタバース
インターネット上に構築された、三次元の仮想空間。アバターを使って参加することができる。

＊5　吉上亮（よしがみ・りょう）
一九八九年生。小説家。早稲田大学文化構想学部卒。二〇一三年に『パンツァークラウン フェイセズ』（ハヤカワ文庫JA）でデビュー。

色々と細かい持論があって、ＳＦプロトタイピングにもアンビバレントな思いというか葛藤《かっとう》を抱きながら仕事をしています。

――ＳＦプロトタイピングで作家が求められている役割とはなんですか。

津久井　かっこよく言うと、作家の発想をヒントにイノベーションの種を見つけよう、ということだと思うのですが、実際にはちょっとバカなことをいう役割というか、作家が変なことをいって、企業の人は「困ったな」となって、それで議論が少し柔らかくなるとか、そういうことを期待されている気がします。僕はＳＦの魅力とは「いたずら心」だと思っています。いい子になって企業の人に寄り添い過ぎてしまうと、僕にとってもやる意味がないし、向こうにもそれは期待されていないと思うので、意図的に変なことをいったり、わざと不穏な方向に議論をもっていったりします。

ただ、こういう風に企業と作家の間でやり取りをして、小説をアウトプットするという企画は、作家の立場で関わると、やっぱり歪《ゆが》むわけですよね。

――歪《ゆが》む？

津久井　「ＳＦプロトタイピング」の枠組みが曖昧《あいまい》なので、これは自分の創作なのか、共同制作なのか、議論のための作品なのか鑑賞のための作品なのか、というところが結構難しくなってしまって……。書く方も謎《なぞ》のストレスがかかった状態で作品を書くし、企業としても、自分たちは発想を柔軟にするためにワークショップをやっているのか、それとも作家に作品を書かせるためにやっているのか、と目的がブレるというか……。なので話が戻りますが、やっぱりワークショップベースで、その企業の人たち自身がＳＦ的な考え方をトレースするっていう方がＳＦプロトタイピングの方法論としてはまっとうかなという気はします。

――なるほど。津久井さんがＳＦプロトタイピングで小説を書くときと、何かお題を与えられて小説を書くときと、自由に書くときの違いをお聞きしたいです。まずは『ＡＩとＳＦ』に津久井さんが寄稿した短編小説「友愛決定境界」の作品紹介をお願いします。こちらは、お題を与えられて書く小説に当たるのかと思います。

津久井　主人公は東京にある外資系警備会社に所

属するチームのメンバーです。警察の業務を民間警備会社が一部サポートする体制で、実弾も使うようなちょっと物騒な架空の未来の話なのですが。いまの埼玉県蕨《わらび》市のあたりがある理由で荒廃してしまって、犯罪組織の巣窟《そうくつ》になっている。その組織の摘発《てきはつ》作戦に、主人公たち民間警備会社の人も参加することになります。そこで警察の任務を手伝いながら、逃げてきたやつを捕まえるのですが、銃を抜いた相手を主人公が撃つんですね。撃った相手はたぶん国籍も違えば言葉も通じない、縁もゆかりもない人なのですが、なぜか主人公はこの相手を顔馴染《かおなじ》みの愛着ある相手かのように感じてしまう。それはなぜなのか……というような話です。

——先述のNTT人間情報研究所とのSFプロトタイピングで執筆された「未完成感性社会」[*1]は、没入型感性検査（IST）というVR上で人の感性を診断するシステムを採用している企業で働く社員の話ですね。「友愛決定境界」が初対面の人に対する感じ方を操作されていたという話なので、どちらも「感じ方」をテーマにした作品だと言えるかなと思うのですが、プロトタイピングとして書くのと、テーマだけ与えられて書くのと、自由に書くのでは、書いていてどのような違いがありますか。

津久井　今のところ、という話にはなってしまうのですが、基本的に僕が小説を書く理由はひとつで、いたずら心を発揮《はっき》して、世の中と面白くコミュニケートしたい、というものです。お題を与えられて書くというのが、いたずら心的にはいちばんのびのびできる。今回で言うと、「AI」というお題があったときに、これは世の中的には大きな、深刻なイシューなのですが、これを真正面から受け止めるだけでなく、お題自体をどうにかおちょくりたいとも考えます。もともと建築を勉強していたのですが、建築学科の課題ではお題を批判的に捉《とら》えて設計で応えることが求められます。そのせいか、お題を与えられて書くのがいちばんやりやすいような気がしています。

でも、自分で勝手に企画して書く作品は、いたずらの対象となるお題を自分で探してこないといけない。それを上手に探してこられないと、たんにふざけている、要するにスベっているというこ

＊1　未完成感性社会
以下のアドレスにて無料公開中。関連技術等についても読むことができる。
https://www.rd.ntt/dtc/sf_prototyping/novel_comm.html

とになってしまうんですよね。デビューしたばかりの頃《ころ》はＳＦ的ないたずらの勘所《かんどころ》がまったくわかっておらず、誰《だれ》も興味のないことに対して謎《なぞ》のいたずらを仕掛けたりしていました。ですが、アンソロジーなどでお題に応える作品を書いていくなかで、自分で企画するなら、世の中のここを少しずらしてみようかな、という塩梅《あんばい》がだんだん分かってきたような気がしています。なので、お題ものよりも難しくて、やりがいがあるのが自主企画です。

ＳＦプロトタイピングのような制作だと、実際におちょくる相手が目の前にいるわけです。ＮＴＴ研究員の方が目の前にいたとして、その方々は自分の研究テーマに対してあまり悲観的なことを言いたくないじゃないですか。なのでおちょくり甲斐《がい》がすごくあるというか、いたずら心を発揮《はっき》しやすいから、うまくやれれば楽しいですね。お題よりも具体的に、いたずらの相手が目の前にいるわけですから。

――そのいたずら心というかアイデアはどこからきていますか？　日常的に探しているのか、テーマを掘り下げる中で見えてくるのか……。

津久井　基本的には「少し不安なことを考える」みたいなことかと思います。プロトタイピングでは相手が「私の研究はこういうもので、世の中にとってこんなふうに役に立つのです」と教えてくれるわけですが、「でもこうなったら危なくないですか」というような、そのときにその人が言われたくないこと、たしかに心がちょっとざわっとするな、ということをいったんジャブ的に打ってみたりします。意地悪になりすぎるとただの逆張り野郎なんですが、そのようなじゃっかん危ういコミュニケーションにしていくのが面白いと思っています。なので、ＳＦプロトタイピングがお題ものを書く練習になっている面もなくはないというか。人間がテーマを担って目の前にいるとして、そのテーマさんがしゃべってくれるものに対して完全に納得してしまうと面白くないから、「こいつなんかアホなことを言い始めたな」と思われるのを覚悟でコミュニケーションをとっていくという感じです。

――製品をそのまま紹介したり、社会のことをそのまま話すのではなく、フィクションにすることによって現実の違う側面を炙《あぶ》り出す、という感じですね。

津久井　そうですね。だから僕はSFプロトタイピングの案件をなんでも受けているわけではなく、「嫌だな」と思ったものは断っています。結論ありきの資料が最初に来て「この結論に向かってSF作家の創造力とやらを使ってください』みたいなノリなのが見えると、おちょくり甲斐《がい》がないなあ、と思ってしまいます。実際やってみたら別かもしれないのですが、それより、自分たちがやりたいことが何なのかもよくわからない状態の人と話したほうが面白いなと感じていて。企画の仕切りがうまくいっていないくらいの方が参加したときのいたずらのし甲斐《がい》があるし、世の中に出すにふさわしいものを目指して一緒に作りたいですね、という気持ちにもなれます。

——冒頭で、SFには「日常を異化すること」と「巨大構造に突っ込んでいくワクワク感」の二つを求めているというお話がありましたが、津久井さんの小説ではそれを体現していると思いますか？

津久井　デビュー作の『コルヌトピア』[*1]という作品では、けっこう実現できていたと思いますね。生きた植物から成る「植生コンピュータ」に覆われ、計算インフラである森林（グリーンベルト）にぐるりと囲まれた、架空の東京が舞台の作品です。動植物のネットワークとリンクしながら都市を歩き回るという描写で、生活感覚と巨大構造の両方を描けていた気がします。

　でも逆にいえば、それしか考えていなかったんですよね。「日常の異化」にせよ「巨大構造の探索」にせよ、肝心なのはそういう「絵」を繋《つな》げてどんな物語を作るかということです。デビュー当時は「絵」を描くだけで精一杯でした。それから今までの年月は、物語の作り方を自分なりにいちから身につける期間だったんだと思っています。

＊1　津久井五月『コルヌトピア』（早川書房／二〇一七）

社会が見過ごしてきたものを拾う

人間六度

人間六度（にんげん・ろくど）
日本大学芸術学部文芸学科四年生。大学浪人中に急性リンパ性白血病を発症。二〇二一年、第九回ハヤカワSFコンテストと第二十八回電撃小説大賞でデビュー。以降、『過去を喰《く》らう（I am here）beyond you.』（一迅社）など、ノベライズを含む多数の著作を刊行している。

——SFとの出会いや原体験を教えてください。

人間六度（以下、人間）　父がSF好き&本好きで、本を読めといって色々薦《すす》めてきたのですが、僕はその反動で全然本を読まなくなったんですよね。なので文学ではなく、アニメや漫画の方にSFを見出すようになった。だから全然古典SFとか通ってないんですよね。

——アニメや漫画で好きだった作品はありますか。

人間　ここで《新世紀エヴァンゲリオン》[*1]（旧劇場版）って言ってもあまりにもなのですが、言わないわけにはいかないので言っておきます。まず上がるのが《交響詩篇エウレカセブン》[*2]、《コードギアス》[*3]シリーズ、《天元突破グレンラガン》[*4]とかのSFロボットアニメですね。あとは『天保異聞 妖奇士』[*5]。穴場だけど本当に面白い。『センコロール』[*6]という短編アニメも、めちゃくちゃおすすめ。基本はアクション好きです。あとドラマになりますが、BBCの《ドクター・フー》[*7]シリーズは外せない。私はかなりの〝フーヴィアン〟です。僕はSFって日常を宇宙にするか、宇宙を日常にするかということだと思っているんですが、《ドクター・フー》

＊1 《新世紀エヴァンゲリオン》（庵野秀明監督／一九九五～一九九八）
＊2 《交響詩篇エウレカセブン》（BONES 原作／京田知己監督／二〇〇五～二〇〇六）
＊3 《コードギアス》シリーズ（谷口悟朗監督他／二〇〇六～）
＊4 《天元突破グレンラガン》（GAINAX 原作／今石洋之監督／二〇〇七）
＊5 『天保異聞 妖奇士』（會川昇、BONES 原作／錦織博監督／二〇〇六～二〇〇七）
＊6 『センコロール』（宇木敦哉監督／二〇〇九）
＊7 《ドクター・フー》（一九六三年～）

は前者のマインドが強い気がしていて好きです。

父は《スター・ウォーズ》より、《スター・トレック》[*1]がだいぶ好き、という人間でした。父がよく言っていたのは、スター・ウォーズは地球でできることをただ宇宙でやっているだけ、というもの。思想強いですよね(笑)。でもそういう親の元に育ったのでガジェット的なSFより、センスオブワンダーの方に惹《ひ》かれるんだと思います。

今思うと、泥臭い人間ドラマをはるか高みから俯瞰《ふかん》することで「人は皆平等にカスだよね」と圧縮してしまうというか、すごく遠くから見ているからこそ人間讃歌《さんか》を第三者的に語れるというか、そういう全能感が好きなのかもしれない。逃避だということもわかっています。僕自身も、現実に対する憎しみをSFによって逃がしている、みたいなところがあるので……。

あとはボカロ文化がすごく好きなのですが、ボカロ曲にもすごくSF的な面があって、sasakure.UK[*2]というP[*3]の作る楽曲も間違いなくSFの原体験になってます。

あとはジョン・クリストファー《トリポッド》[*4]シリーズが、おそらく僕が初めてちゃんと読んだSF小説かなと思います。表紙が漫画家の西島大介《にしじまだいすけ》さんだったんですよ。気の抜けたキュートな表紙なのにグロいことばっか起こるから、余計に現実を突きつけられる感じがあって癖になりますよ。

――これまでに関わったSFプロトタイピングを紹介してください。

人間　僕は来た依頼は基本的には全部受けるようにしています。自分が物書きマシンと化すことが特に嫌じゃないんですよね。SFプロトタイピングは一種の縛りプレイだと思っています。でも縛りプレイは別にプロトタイピングに限った話じゃないし、僕は縛りプレイが大好きなんですよ。むしろ何かしら縛られてないと書けないから。
たとえばPanasonicの仕事[*5]では、「二〇九六年の生活を書いてください」というお題だけもらって、このときは「体を貸し借りする技術」のアイディアがあったので、それで書きました。母親が子供のためにすでに死んでしまった父親のふりをする、というような内容ですが、これはまあまあちゃんと昏《くら》さと希望の両立ができたかな、と思ってます。

＊1　《スター・トレック》(ジーン・ロッデンベリー他制作／一九六六〜)

＊2　sasakure.UK(ササクレ・ユーケイ)
ボーカロイドソフトを使った楽曲の制作を手掛ける。バンド「有形ランペイジ」のプロデューサー。

＊3　P
ボーカロイドソフトを用いて楽曲を制作してリリースする人のこと。"P"はプロデューサーのP。

＊4　ジョン・クリストファー《トリポッド》シリーズ(中原尚哉訳／ハヤカワ文庫SF／二〇〇四)

＊5　Panasonicのデザインコンサルティング部門であるトランスフォーメーションデザインセンターが制作。三人のSF作家が書いた二〇九六年を舞台にした短編小説をもとにワークショップを行った。

商業出版でもいわゆる「泣ける作品」を書かされます。売れ筋ですからね。ジャンル特性や出版社の要請に答えていくのがプロの作家だと思うので、言ってしまえばすべて縛りプレイですよね。SFプロトタイピングなら、社会に対して訴えかけたいことを企業が持っているからそれを汲《く》み取って、かつ「ハッピーエンドにしてください」と、かなりの高確率で言われます。SF作家はバットエンドが大好きだから、みんなそこで病みますね（笑）。僕もバッドエンドや暗い世界の方が好きなのですが、あえてバカ騒ぎする話をしたりします。ただその中でも、自分が書きたいと思っている何かを残すようにはしています。

――その「自分が書きたいと思っている何か」というのはアイデアの部分ですか。それともテーマなどに関わる部分ですか。

人間　どっちもあると思います。テーマであれば闘病、家族、恋愛、福祉、といったところ。もっと広くもっと核心めいたことを言うと、「社会が見過ごしてきたものを拾う」「世界がひた隠しにしている秘密を発見する」ということになるのかなと思います。

たとえば自著『スター・シェイカー』[*1]は闘病も恋愛も特にメインテーマではないですが、「先行作品のテレポート描写において、切り捨てられてきたリアリティを回収したい」という発想が原点にありました。『きみは雪をみることができない』[*2]も「闘病小説がエモさのために切り捨ててきたリアルな痛みや生きづらさを回収したい」という意図があります。

アイデアに関しては自分の中にいろんな文脈がありますが、超ざっくり分けると、「バカみたいにデカい」か「見えないほど繊細」かのどちらかなのかな、と。ただ依頼されて書く場合、必ずしも最高のアイデアを適用できるわけではないと思っています。

だから何かしらの世界の秘密を暴くか、クソデカを描くか、細部を描くか……最低限どれかを取るようにしているつもりです。

――『AIとSF』に人間六度さんが寄稿した「AIになったさやか」は、死んでしまった恋人のさやかを、主人公がAIによって通話やチャットで

＊1　人間六度『スター・シェイカー』（早川書房／二〇二二）

＊2　人間六度『きみは雪をみることができない』（メディアワークス文庫／二〇二二）

コミュニケーションできる存在として復活させる話です。SFプロトタイピングで書くのと『AIとSF』のようにひとつのテーマを与えられて書くのはどちらも縛りプレイということですか。それとも何か違いがありますか。

人間　確かに縛りプレイですが、半端に緩《ゆる》い縛りだと感じました。だってAIって、どこにでも適応しうるじゃないですか。特に創作上の世界ともなれば。

　だから「AIとSF」は難しいテーマだと思いました。みんなも阿鼻叫喚《あびきょうかん》だったと思います。企画が降りてきたのが、生成AIの台頭でAIがすごく〝来て〟いるタイミングだったので、フツーに現実で起こっていることの方が面白くて、みなさんすごく困ったと思うんですよ。僕も例に漏れなかったんですが、逆に自分の領域、さっきの話で言ったら自分のテーマを持ってこようと思って、大学生で元カノ、みたいなエモ系文脈でフォーマットだけは整えて描きました。縛りが足りなかったので、セルフで縛ったわけですよ。

　あとAIの話を正面から書くのは僕の仕事ではないと思ったんですよね。だって本職のAI研究者の安野貴博[*1]さんとかがいるし、僕より頭いい人がいっぱいいるんで。頭いい人が書かなさそうな、ごりごりの大学生ものでやってやりました。

――「AIになったさやか」は、死者への執着との決着の付け方が面白いと思いました。こういう話だと、AIがどれだけ元の人間に近いか、あるいは遠いか、という話がメインに据《す》えられることが多い印象なのですが、本作はそこから一歩外したところで決着をつけているので。

人間　ありがとうございます。「AIになったさやか」は制作者ではなく利用者のリアルを描きたかった、という意図があります。利用者の目線から、世界がどう変化したのか、何が置き去りになって、何が救われたのか、というところにアプローチをかけたかったんです。

　死者のSNS情報とかを持ってきてSNS上のサービスとして死者を復活させる、ということは今の技術でも実装可能だと思います。なんならもうあるかも。そこに音声情報も追加されて通話できるようになったら、〝いる〟感が、もうかなり

＊1　安野貴博（あんの・たかひろ）SF作家。本書では90ページ「SFと科学技術を再考する」に参加している。

出るじゃないですか。なので、ＳＦというより純文学的な雰囲気で僕は書いたつもりだったんですが、最初は、僕がどこに重きを置いているかが担当編集に伝わらず、二作ぐらい別の短編を書いたりと結構迷走しました。でも迷走する時って大抵、ファーストインプレッションに向き合いきれていないというのが原因なので……。演出を変えるなどして乗り越えました。

　ＡＩがどういう存在であろうと、それをどう捉《とら》えるかは人間が決めることなので、僕はＡＩの機序ではなく、それが社会にどう受け入れられるかを描きたかったし、これからも描いていくと思います。


――先ほどのお話と重なるかもしれませんが、日本ＳＦ作家クラブの自己紹介の中で、これまでの作家が切り捨ててきた細部にスポットを当てることを大事にしたい、例えば難病ものに痛みが書かれていないのはあり得ないと思う、という話を書かれていました。その問題意識が色濃く反映されている作品はありますか。


人間　『永遠のあなたと、死ぬ私の10の掟』[*1]ですかね。不老不死の男の子と普通の女子大学生のロマンスです。フォーマットとしてはエモ系のロマンスに載せたのですが、その実、不死者ものが切り捨ててきた細部をだいぶ深掘りできたと思っています。

　レーベルがそういう方向の深さを求めていないのにガチＳＦすぎたので、全然売れませんでした。いろんな人から「これ面白いんだけどメディアワークス向きじゃないね」と言われたので、大きな戒《いまし》めになりました。もう主婦層にマーケティングすることは諦《あきら》めてるので、ＳＦ読みにこそ読んでほしいなと思っています（笑）。

　執筆時には一切妥協せずに主人公たちを苦しめることを大切にしました。もうマインドからすでにメディアワークスとして間違ってる。

　不死者ものって、時間がとびとびに流れるのが醍醐味《だいごみ》じゃないですか。不死者視点だと人がどんどん老いていって、歴史がどんどん移り変わっていって、そういう変化をどこか寂しげな瞳《ひとみ》で見つめている……みたいなエモさが定番ですよね。

　なので僕は本作では「人間の時間感覚で不死者

＊1　人間六度『永遠のあなたと、死ぬ私の10の掟』（メディアワークス／二〇二二）

と向き合ったらどうなるか」というのを描きました。不死者に連れそう人の一生を描いたわけです。そうなるとエモさは全く別物になってきて、つまり不死者が無限の元カレ元カノを持つ超問題物件の異性、になるわけです。問題物件の不死身男とのロマンス。ぜひご一読ください……。

――冒頭で語られていた、泥臭い人間ドラマを俯《ふ》瞰《かん》するSF的な面白さというのは、人間六度さんが執筆されていても感じますか。

人間　もちろん。そのために書いてるところすらあります。やっぱり「人間」って、グロいじゃないですか。グロくてキモい。それを認めることのカッコよさももちろんありますが、グロさに対する忌避《きひ》感は拭いきれない。でも「人類」ぐらいまで引いてみると、なんか愛おしいんですよねえ。このキモすぎる自意識が、SF作家の原動力なのかもしれません（笑）。

　ただそういう全能感に浸《ひた》るのはあくまで構造を考えている段階の話で、結局のところ最後は「人間」に降りてくる。僕自身が抱える人間に対する忌避《きひ》感を乗り越えるための装置としてSFを利用しているのかもしれません。「人間」を直視するのは無理でも、一旦《いったん》「人類」まで引き上げてそこから「人間」に降ろして初めて、「人間」を愛せるようになる、みたいな。

〈人間六度〉というは「三十六度の平熱を持つ健常な人間でありたい」という願いを込めたペンネームですが、人間としての自分を許してやりたい、愛してやりたい、という思いも、どこかにあったのかもしれません。現実の世界を滅ぼさなくても済むように、物語の世界を滅ぼしているんです。

読者にありえない可能性を見せる

柳ヶ瀬舞

柳ヶ瀬舞（やながせ・まい）
ADHDとバセドウ病とともに生きる作家。二〇二二年、SF Prologue WaveからSF作家としてデビュー。同メディアの編集委員もしている。LGBTQA創作アンソロジー『Over the Rainbow』を主宰。

――SFとの出会いや原体験を教えてください。

柳ヶ瀬舞（以下、柳ヶ瀬）　私はそんなに早熟ではなくて、十九歳ぐらいからSFを読み始めました。ただ、もともと少女漫画が小学生の頃《ころ》から好きで。少女漫画のSF性を語らせるとたぶん二十四時間くらいかかってしまいます（笑）。

　少しだけお話しすると少女漫画は女の子やマイノリティのための思考実験場なんですよね。スペキュレイティヴな発想に満ちている。そんな文化に幼少期からいたのでSF的な思考は決して遠いものではなかったです。

　兄がSFをはじめ文学好きだったのですが、その兄にル＝グウィンの『闇《やみ》の左手』[*1]を薦《すす》められて読んでみたら、「なんだこれは」と震えが止まらなくなるような衝撃を受けました。白黒分けられない問題も世界にはいっぱいある、ということを教えられたと思っています。それからSFを漁《あさ》るように読み始めました。ジェイムズ・ティプトリー・Jrが好きです。ティプトリーの小説はラディカルですよね。剥《む》き出しの一個人の生と世界がどう繋《つな》がるか。その難しさが描かれています。「接続さ

＊1　アーシュラ・K・ル＝グウィン『闇の左手』（小尾芙佐訳／ハヤカワ文庫SF／一九七七）

れた女」や「男たちの知らない女」[*1]は社会という概念が欠落していて個人と世界の話になります。

――柳ヶ瀬さんのお仕事のなかで、ＳＦと社会が関わるものを紹介してください。

柳ケ瀬　SF Prologue Wave[*2]に「翡翠《ひすい》の川」[*3]という小説を寄稿しました。これは、〈翡翠《ひすい》の川〉というものが視界に浮かんでしまう女性の独白形式で執筆した小説です。自分にとってはクィアな要素がすごく重要なので、クィアな要素を入れました。

――語り手に生理が始まったときの話から始まって、それと〈翡翠《ひすい》の川〉というものが重ね合わされるように話が進んでいき、生理と身体性の話なのかなと思いきや、さらに読み進めるうちに違う側面も見えてくる、そんなお話ですね。作品を執筆する時に気をつけたこと、大事にしたことはありますか。

柳ケ瀬　絶対ありえないことでもありえる可能性を見せたいと思っています。このお話では〈翡翠《ひすい》の川〉が出てきますが、それが本当に語り手だけに見えているものなのか、ということを問いたかったです。私にとってのＳＦは「サイエンス・フィクション」より「スペキュレイティヴ・フィクション」の方がしっくりくるので、その意味でＳＦ、実験的な思弁小説になったのではないかと思っています。

　その点では、小川洋子《おがわようこ》さんの『密《ひそ》やかな結晶』[*4]や高原英理《たかはらえいり》さんの『日々のきのこ』[*5]もすごくスペキュレイティヴだと思います。お二人は地の文が圧倒的に上手くて、それが「ありえない」と思わせない。特に小川さんの流麗な文章は説得力しかない。ありえないだろうな、こんなことないだろうな、いや、だけどありえるかも、という、変な想像力を働かせられる作品です。

――テーマを扱う上で、それを成り立たせるだけの文章力がめちゃくちゃ大事だということですね。幻想文学やスペキュレイティヴ・フィクションを書くときは、クィアネスなど社会的なテーマを最初から意識してアイディアが出てくるのでしょうか。それとも書いているうちに忍び込んでくるのでしょうか。

柳ケ瀬　「私」という主体が社会から切り離せないので、書かざるをえないというか、必然的に入り

＊1　ジェイムズ・ティプトリー・Ｊｒ「接続された女」、「男たちの知らない女」いずれも、『愛はさだめ、さだめは死』（伊藤典夫・浅倉久志共訳／ハヤカワ文庫ＳＦ／一九八七）収録。

＊2　SF Prologue Wave　二〇一一年に活動を開始した、日本ＳＦ作家クラブ公認のスペキュレイティブ・フィクション専門のネットマガジン。中短編のＳＦ小説やインタビューなどを掲載している。

＊3　「翡翠の川」　https://sfwj.fanbox.cc/posts/4974867

＊4　小川洋子『密やかな結晶』（講談社／一九九四）

＊5　高原英理『日々のきのこ』（河出書房新社／二〇二一）

込んでしまいます。事前に考えているわけではないけれども、忍び込んでしまうというか。

――なるほど。社会的なテーマありきではないということですね。そうすると、物語のアイデアそのものはどこから出てくるのでしょうか。

柳ケ瀬　アイデアはどこから出てくるのでしょうかね、私自身もわかりません（笑）。アイデア自体はリラックスしてお風呂《ふろ》に入っているときに思い浮かびます。私は気質的にごちゃごちゃと考えてしまうのでふとしたときにアイデアの方から歩み寄ってくれるという感覚です。

――小説の中で現実と違うものをぶつけていくにあたって、その「違うもの」をえがく時にはどんなことに気をつけていますか？

柳ケ瀬　ビジュアルイメージが湧《わ》くものがいいなと思っています。漫画とかもそうですが、子どもの頃《ころ》からパッと見てわかるものに触れてきたので、文章からビジュアルイメージがパッと浮かぶ、ということは重要だと思っています。

過去を未来的に妄想する

近藤銀河

近藤銀河（こんどう・ぎんが）
CGやVRなどのメディアを使って作品制作をしているアーティスト。西洋美術における、レズビアン、パンセクシュアル、バイセクシュアル女性の表象について研究しつつ、同じテーマで作品制作をしている。またライターとして、Kaguya Planetや『S-Fマガジン』に評論を寄稿したり、ブックガイドを執筆したりしている。

――SFとの出会いや原体験を教えてください。

近藤銀河（以下、近藤）　母がSF好きだったんです。『S-Fマガジン』を読むような人で、私がSF関連の仕事をしたとき特に、反応がめちゃくちゃいいんですよね。それで、小学校三年生くらいの頃《ころ》からレイ・ブラッドベリとかアイザック・アシモフとか、古典SFを色々読んでいました。

　一番インパクトに残っているのは、萩尾望都《はぎおもと》の『百億の昼と千億の夜』[*1]でした。すごく壮大で哲学のテーマも関わるし、一方で人間ドラマにも溢《あふ》れている。しかも登場する阿修羅王《あしゅらおう》は女性なのか男性なのかわからなくて、かつとても力強い。SFならこんなに多様な表現ができるのか、色々なアイデンティティーを表現できるのか、というところに衝撃を受けて、惹《ひ》かれていったのだと思います。私自身パンセクシュアルなのですが、セクシュアリティについて抱えていた疎外感などがSFを通してひらかれていく感覚がありました。

――最近のお仕事の中で、技術やフェミニズムと関係するデジタルアートをご紹介いただけますか。

近藤　私の仕事としては、Wezzy[*2]というメディア

＊1　萩尾望都『百億の昼と千億の夜』（光瀬龍原作／秋田書店／一九七七～）

＊2　Wezzy　株式会社サイゾーの運営する働く女性に寄り添うWEBマガジン。二〇一七年から活動。二〇二四年に閉鎖。

で「フェミニスト、ゲームやってる」という連載をしているのですが、そちらではまさに技術とフェミニズムの関連について書いています。

　そして私の作品ではないのですが、紹介したいアート作品が二つあります。ひとつは、VNS Matrixという一九九〇年代の初頭に活躍したフェミニストアート集団の作品『ALL NEW GEN』[*1]です。この作品はゲームになっているのですが、当時のゲームやデジタル空間にあった、ある種のマッチョイズムを皮肉って抵抗していく作品です。たとえばゲーム開始時に「男／女／どちらでもない」から性別を選ぶのですが、「どちらでもない」を選ばない限りループし続けるんです。ゲームに対してゲームを用いて問題提起していくという作品で、SF的、未来的なビジュアルに対応しています。

　八〇年代にはすでに「サイボーグ・フェミニズム」[*2]も出てきていたのですが、八〇年代と九〇年代にはやっぱり感覚の違いがあったようです。八〇年代はまだデジタルやテクノロジーがジェンダー化される前だったので、当時のフェミニストたちは、ある種のユートピアが築けるのではないか、という期待を寄せていました。しかしVNS Matrixが活動していた九〇年代には「そうではないぞ」というのがわかってきて、問題提起もかなり現代的になっていきます。

　とはいっても九〇年代はまだゲームが普及しはじめた時代ですよね。この頃《ころ》に、こういう問題提起を行っていた作家たちがいたんです。デジタルメディアとフェミニズム、テクノロジーとフェミニズムが初期から結びついていたことの一例かなと思います。

　もう一人は、Danielle Brathwaite-Shirley[*3]という作家です。二〇一〇年代に活動を開始した若い作家さんなのですが、アフリカ系のトランスジェンダーとしての記憶を「ゲーム」というメディアを使ってアーカイブしています。一昔前のゲームのCGのようなグラフィックをあえて使う作家で、こちらも、テクノロジーとマイノリティ、あるいはフェミニズム、コロニアリズムが結びついたところで活動している作家です。

　これまでにもテクノロジーやデジタルメディアを用いながらセクシャリティやフェミニズムにつ

＊1　VNS Matrix『ALL NEW GEN』
現在も左記のURLで閲覧可能。
https://vnsmatrix.net/projects/all-new-gen

＊2　サイボーグ・フェミニズム
ダナ・ハラウェイの著作『サイボーグフェミニズム宣言』とその中で語られた概念。女性というジェンダーの人工性とサイボーグを重ねつつ、集積回路の発達とその背景にある人種差別的な労働そして管理社会の強化といった暗い未来予測に対するフェミニズムによる反抗の方法が論じられる。

＊3　Danielle Brathwaite-Shirley
https://www.daniellebrathwaiteshirley.com/

いて表現している作家たちがいて、私がレズビアンと美術の関係をCGや3Dプリンタ、VRを用いて追究していることもそのつながりの中にあります。
　アフロフューチャリズム[*1]が話題になったりもしましたが、未来を想像すること、あるいは虚構であることを示しながら過去をテクノロジーによって考え直すことが、マイノリティにとっては重要なんですよね。なぜなら、マイノリティは本物の記録としての過去がほとんど残っていないから。記録が残っていないものを現代で再現するときに、テクノロジーによる〝妄想〟が強い力を持つのです。ダナ・ハラウェイが「サイボーグ宣言」で「私は女神と踊るよりもサイボーグと踊りたい」[*2]と書いているのですが、まさにそういう形で、デジタルによって過去を未来的に妄想すること、あるいは、『ALL NEW GEN』のように過去を選択可能なものとして描き直すことが行われています。私はこれらが、SFやテクノロジーと社会の関わりの、ひとつの可能性を示すものなのではないかと考えています。

――八〇年代以降、技術やテクノロジーがジェンダー化されていき、全ての人にとってフェアなものではなくなっていったとのことですが、例えば具体的にはどんなことですか。

近藤　例えば、〈2ちゃんねる〉[*3]では男性ジェンダーの仮面を被らないと作品の話ができなかったりとか、〈はてな匿名ダイアリー〉[*4]では書き手が「増田」と呼ばれる集合的で男性を主に想定したキャラクターとして扱われていたり、デジタル空間はすごくジェンダー化されているんですよね。架空の男性ジェンダーの集合体のような形で、インターネットが形作られていた。あるいはそれが主流の歴史として語られがちな部分があります。もちろん、〈フォレストページ〉[*5]や〈魔法のiらんど〉[*6]など、女性の書き手による二次創作が公開されて女性ジェンダー化した空間もありましたが、これらはやっぱり主流としては語られません。
　もう少し俯瞰《ふかん》的にいえば、初めはデジタル空間にはプログラマーとかいろんな形で女性が関わっていたのが、産業化とともに男性ジェンダーのものになっていったという歴史があります。

＊1　アフロフューチャリズム
マーク・ディリーによって名付けられた概念。アメリカのカルチャーにおいて白人の視点から作られたアフリカ文化の表象を、黒人の側から取り戻し自身の文化やアイデンティティを未来の想像力で描くような表現を指す。

＊2　ダナ・ハラウェイ『サイボーグ・フェミニズム』（小谷真理・巽孝之訳／トレヴィル／一九九一）101ページより引用。

＊3　2ちゃんねる
一九九九年に開設された日本最大級の電子掲示板サイト。二〇一七年に〈5ちゃんねる〉と改称。

＊4　はてな匿名ダイアリー
二〇〇六年に始まった、〈はてな〉のアカウントを持つ者であればIDを表示させることなく、匿名で日記を書くことができるサービス。

＊5　フォレストページ
小説や夢小説が書けるスマホ向け創作サイト作成サービス。

＊6　魔法のiらんど
KADOKAWA アスキー・メディアワークスが運営している小説投稿サイト。

——VR技術が普及する際、すごく早い段階で男性ジェンダーっぽい使われ方ばかりになってしまったような印象があるのですが、ご自身でVRを使った作品を制作なさっている立場からはどのように見えていますか。

近藤 そこは特に日本語圏において懸念しています。二〇一九年の企業によるマーケティング調査[*1]では、VRには女性の方が興味を持っていたんですす。でも、それに対して日本の有名VRインフルエンサーのような人がすごくバカにしたことを書いていて、私は「感じ悪いな」と引いていたのですが。これはインターネット小話でしたが、やっぱり男性ジェンダー化されている面があるとは思います。ユーザーや注目されるものが男性にすごく偏ってしまっているという点です。たとえば、VRでは女性的なアバターで活動する男性の話が注目されがちな面があると思います。性自認が女性であるとかそういったことではなくて、あくまで男性ジェンダーとして女性のアバターを使っているとか……。ジェンダーバイナリー的な形で語られがちだと思いますね。

一方でノンバイナリー的な表現も海外では普及しています。日本でも、そういう形でVRを使っている方はたくさんいるのではないかと思います。そういった意味では、もっとそういった可能性を拾い上げていくことで、VRのあり方も変えられるのではないかと思います。

——中身はもちろん、機器など〝ガワ〟の作られ方が……という話もあると思うのですが。

近藤 それもありますね。例えばVR機器では、両目の間隔があるのですが、これは男性と女性で平均値が結構違います。で、多くのVR機器が男性の平均値を基にして作られていて、それによって女性の方がVR酔いをしやすくなる、という研究があります。

——平均的な人類の身体として、男性の標準に近いものが想定されがちであるという話ですね。

近藤 そうですね。あとはもちろん、健常な体という問題もすごくあると思います。最近は両手でモーションコントローラーを持って動かすゲームが流行っているのですが、私は体調的にそれができません。ゲームの良さは「ボタンを押す」とい

＊1 HTC NIPPON によるマーケティング調査の結果は左記からURLから閲覧可能。
https://www.moguravr.com/vive-cosmos-hands-on/

うすごく軽い動作で超巨大な剣を振ったりできることだと思うのですが、VRでモーションコントローラーの操作をするとなると、自分で動かす必要が出てきて、それはやっぱり健常な体を想定していると思います。

SF的な考え方で言うと、脳とパソコンを直結させるという考え方、つまり、体がなくなれば身体的な作用も消えるという考え方は根強いと思うのですが、私はそれに対しても懐疑的です。最近ではニューロダイバーシティ[*1]についての話が出てきていますが、そこで語られる差異は「健常」な精神、「健常」な神経だけを想定しています。「健常」な精神だけを想定している機器がもしできたとしたら、ものすごく大きな格差ができると思います。

例えば、私が今かかっている病気では「ブレインフォグ」という症状が起こります。具体的なことはまだわかっていないのですが、基本的には身体機能と脳機能の低下が重なっているような症状だと思います。脳に霧がかかって、活動が難しくなる。こういうものを想定せずに、「脳と神経を直結させれば身体的な課題を解決できる」みたいな考え方は、健常主義的なのではないかと思っています。

――クィアSFやフェミニズムSFは、現実の問題をあぶり出したり、現実とは違うものを提示したりする可能性を持っていると思うのですが、近藤さんがSFとは名指されないようなデザインのお仕事などをなさるとき、SF的な想像力を使っていると感じることはありますか。

近藤　すごく使っていると思います。例えば以前制作した映像作品に『異性愛規範によるジェンダー再生産工場のある風景』というものがあります。これは「異性愛生産工場」というものが人間にジェンダーを書き込んでいる様子を表した作品なのですが、これにはすごくSF的な感覚を使っています。ビジュアル的にも『攻殻機動隊』[*2]オープニングの影響があると思いますし、ある種のガジェットやオブジェクト、機械を用いて社会的状況を示すという表現をよくするのですが、そのときもやっぱり、SF的な感覚を使っています。

また、私は美術におけるレズビアン表象の研究もしているのですが、ここで何が一番問題になる

＊1　ニューロダイバーシティ　脳の／神経多様性。ASD（自閉症スペクトラム）やLP（学習障害）等の発達障害をいわゆる〝欠陥〟ではなく多様性と捉えようという考え方。

＊2　『GHOST IN THE SHELL／攻殻機動隊』（士郎正宗原作／押井守監督／二〇〇八）

かというと、古い時代になればなるほど資料がない、作家もいなければ作品もない、ということなんです。じゃあそういった、自分に繫《つな》がるような人々がいなかったのかというと、確実にいたわけですよね。そうすると、周辺の資料などを繫《つな》ぎ合わせて想像、空想するしかなくなっていく。そういうときに使う回路は、ありえたはずの世界を想像するすごくSF的なものだと思います。

過去に描かれた未来
マイノリティの想像力とＳＦの想像力

近藤銀河

1　ＳＦとのアナクロニスティックな遭遇

子供の頃《ころ》、私が初めてふれたＳＦ小説は母の蔵書の古い文庫たちだった。表紙は少し白色に褪《あ》せていて、紙はうっすらと色づき、染みがそこかしこにある。早川書房や東京創元社、それらの翻訳ＳＦが私の幼い頃《ころ》の読書の友達だった。

二〇二三年に三十歳の私が小さかった頃《ころ》だから、多分読んでいた時代は二〇〇〇年代以降になると思うのだけど、それらの小説は見た目だけでなく、内容も古めかしく感じられた。具体的に言えば冷戦やロケット開発競争のような、そのころにはもう過去となった時代背景が未来のものとして語られる不思議さだったり、いつまでも固定電話が存在するような技術の古さでもあったりしたと思う。

ＳＦは未来を志向するが、ＳＦはおおむね過去に作られている。読者が作品にふれる時、それらはすでに過去のどこかの地点で形作られており、それらは未来に向けて過去から今の私へと届いている。

完全に予言的で未来永劫《えいごう》に未来を語り続けるSFは存在しない。それらは常に過去の社会の中にあり、過去の社会から発せられている。SFを読み解く行為は決して未来を読み解く行為だけではなく、過去に望まれた未来を通して過去を、そしてその過去に想像された未来と今の差異を読み解く行いでもある。

SFとは、このようなアナクロニズム[*1]の中にある。アナクロニズムは直線的に並び過去から未来へと真っ直ぐ進む時間の流れに抗《あらが》うような歴史の並び方を指す。過去から未来へと進むことを否定すること、それ自体が極めてSF的だと言ってもいい。

そしてこのアナクロニズムは、常にずっとマイノリティが自身の歴史を語るために必要としてきたものだった。マイノリティにとって歴史は断片化され、記録されないものだった。歴史を記録する権力は、マジョリティの権力でもあるからだ。そのような中で自身の歴史を語ろうとする時、マイノリティは自身の歴史を現在の地点から作り直す必要に迫られる。必然的にそれはアナクロニスティックな想像力にならざるをえない。

SFとマイノリティの想像力に共通するこのアナクロニズム。それこそがSFが社会と関わり、社会が――特にマイノリティの共同体が――SF的な想像力を求める最大の理由ではないか、と私は考えている。

その点において、その意味でSFはずっとマイノリティを指向してきたし、フェミニズムでもあった。SFが根源的に持つアナクロニズムは、マイノリティが想像してきた力と重なるのだ。

注意しておくが、私はここで、SFを全面的に擁護したり支持しようとしたいのではない。当然、時にSFはマイノリティをとらえそこね、ただの道具にしたり、内部にあるフェミニズムを裏切ったりする。

だから私はここでSFが素晴らしいと言いたいのではない。そうではなく、そのようにSFの内部に常に、このような想像力があったと語ることからしか、SFと社会の関わりを考えることはできないのだ、と主張したいのだ。

*1 アナクロニズム
時代錯誤。時流や時勢にそぐわないこと。フィクションにおいては、その時代には存在しない技術やシステムを登場させることなどを指す。

2 アナクロニズムとマイノリティの想像力

ＳＦの古典的名作を見渡してみれば、いたるところにアナクロニズムを見出すことができる。例えば士郎《しろう》正宗《まさむね》による漫画を原作とする《攻殻機動隊》シリーズに登場する公衆電話がそれだ。

士郎正宗の『攻殻機動隊 THE GHOST IN THE SHELL』[*1]の人形使いというハッカーをめぐる一連のストーリーでは公衆電話がフィーチャーされる。『攻殻機動隊』が描くのは二〇二九年のサイボーグやネットワーク技術が発達した未来だが、我々の世界に存在しなくなっていく公衆電話がいたるところにあり、ハッキングに利用される様子が描かれる。

そのような、未来を描くことの失敗は、単に作品が作られた当時にあるテクノロジーを利用し、未来に今からの地続き感を与えるための優れたテクニックの結果というだけではない。

むしろ、こうした失敗に注目することこそが未来を読み解く時に重要になる。そこには、今と過去のあいだの距離があり、両者から未来への距離がある。

この距離と葛藤《かっとう》を自覚的に読み取りながら、規範を解体していくことは、ＳＦが社会と関わる大きな契機になりえる。

このことがよりクリティカルに表出するのは、ジェンダーに関する描写に目を向けた時だ。士郎正宗による『攻殻機動隊』では、女性キャラクターが過剰にセクシュアルなものとして描かれる一方で、草薙素子《くさなぎもとこ》のバイセクシュアリティが描かれる。神山健治《かみやまりんじ》によるＴＶアニメ『攻殻機動隊 STAND ALONE COMPLEX』[*2]でも草薙素子がハイレグの奇妙な服を着せられる一方で、力強い女性としての草薙素子像が示される。そこにはフェミニズムと接近しうるジェンダー描写と共に、その時代時代の規範的なジェンダー描写と性差別が混在している。

＊1 士郎正宗『攻殻機動隊 THE GHOST IN THE SHELL』（ヤングマガジンコミックス、一九九一）

＊2 『攻殻機動隊 STAND ALONE COMPLEX』（神山健治監督／二〇〇二）

それは失敗であり、混乱であるが、その失敗は社会の差別や規範をあらわにする。押井守《おしいまもる》による映画版『GHOST IN THE SHELL／攻殻機動隊』では、全身サイボーグの草薙素子が生理（月経）について言及する場面が冒頭に据《す》えられ、強調される。

英語圏のフェミニズム論者の間で議論を呼んだこの場面は、サイボーグに生理があるという状況によりセックスとジェンダーの規範に問いを生じさせる。なぜサイボーグというテクノロジーによって改変された身体が生理を持つことが想定されるのか。

ジェンダーが社会や技術によるものであるとして、その身体もまた技術や社会の影響を受けて作られている。しかし社会は特定の身体やジェンダーを割り当てられた存在に対して、その身体を改変するような技術の使用を禁じることで、身体の性を本質化しようとする。だからこそ、草薙素子は生理について言及し、その言及は身体に持たされる性が虚構であることを明らかにする。

時代錯誤的なSF設定は、このようにフェミニズムやジェンダー、クィアな事柄を考える契機を作り出す。『攻殻機動隊』はアナクロニスティックな失敗からそのキッカケが生まれたが、シオドア・スタージョンが一九六〇年に出版した『ヴィーナス・プラスX』[*1]はアナクロニズムを自覚的に使い、ジェンダーやセクシュアリティの規範を揺るがしていく。

『ヴィーナス・プラスX』では二つの世界を交互に描きながらストーリーが進行していく。ひとつはタイムマシーンで未来へ行った男チャーリーの物語で、もうひとつは六〇年代のアメリカの異性愛夫婦を描いたコメディだ。

前者では、男女というバイナリーな性が消えたユートピア的な世界「レダム」が描かれ、主人公の男はジェンダー論の講義を受けていく。反対に後者のパートでは、小説が描かれた六〇年代のジェンダー規範が強烈に作動する世界がスケッチされていく。

＊1　シオドア・スタージョン『ヴィーナス・プラスX』（大久保譲訳／国書刊行会／二〇〇五）

これはネタバレになるが、小説の終盤で、タイムマシーンは存在せず実は二つの世界は同じ時間の中にあることが明かされる。ここに、『ヴィーナス・プラスX』のアナクロニズムの自覚的な利用がある。

そこでは未来にユートピアが存在するという発展的な歴史の一直線の流れが否定され、未来が今という時間に回収されていく。この時間の錯誤は、作中のジェンダーの描写と密接に関連する。〝先進的〟なジェンダーのあり方、男女の規範の否定や同性愛の肯定、異性愛規範の解体といったものは決して未来の中にある進んだなにかなのではなく、すでに今、近くにあるのだということをこの物語は語る。

それはLGBTQの人々がストリートに出て行った六〇年代の解放運動と呼応するあり方だ。『ヴィーナス・プラスX』は悲観的なラストを迎えるが、作中におけるSF設定を活かした時間の混乱はむしろ変化がすぐそばにあることを意識させていた。

アーティストであり映画監督であるシュー・リー・チェン[*1]はテクノロジーを使ったアートで現代社会とセクシュアリティの関係を探求してきた。二〇一九年のヴェネツィア・ビエンナーレ[*2]にシューが出展した『3x3x6』[*3]は建物全体を使った作品で、そのうちの部屋のひとつには巨大な液晶モニターが部屋の四方八方に円周上に、パノプティコン[*4]の独房のように配置されている

モニターには、非規範的なセクシュアリティやジェンダーによって犯罪者とされた人々の映像が投影され、その顔は監視カメラによって撮影された来場者の顔と合成される。

それは、『ヴィーナス・プラスX』とは逆に、いまでも差別に晒《さら》されるマイノリティの姿をすぐそばに浮かび上がらせ、同時にそのような差別を構成する装置としての監獄が現代のいたるところにあることを想像させる。

シュー・リー・チェンはまた映画監督として数多くのSF映画を手がけてきた。シューはそうした映画を「SF・ニュー・クィア・シネマ」とする。テクノロジーはマイノリティを差別する装置にもなるが、マイノリティ

＊1　シュー・リー・チェン（Shu Lea Cheahg）
一九五四年生。台湾生まれ。アーティスト。ニューヨークを拠点に、インスタレーション、映画、メディア・アートなどを発表している。

＊2　ヴェネツィア・ビエンナーレ
一八九五年から二年に一回ヴェネツィアで開催されている世界で最も歴史のある国際美術展。

＊3　シュー・リー・チェン『3x3x6』（二〇一九）

＊4　パノプティコン
刑務所の一形態。中心に監視施設があり，それを囲むように放射状に囚人棟が配置され、看守は二十四時間囚人を監視することができるが、囚人からは看守の動きは見えない。

を結びつける装置でもあり、マイノリティはそれをハックしながら使ってきた。

ミンディ・セウ[*1]による図鑑『Cyberfeminsim Index』[*2]は九〇年代から現代までのインターネット空間におけるフェミニズムの活動をまとめたウェブサイトであり書籍である。

書籍版では、書籍でありながらハイパーリンクが多用され、まるでゲームブック[*3]のような体験が得られる。初期のある種、楽観的でユートピア的なフェミニズムのサイバー空間での実践と、近年のディストピア的なフェミニズムのサイバー空間への実践が、それぞれを相互に参照しあいながらジャンプする書籍の設計は、それ自体がタイムトラベル的でありSFのようでもある。

サイバー空間においても、ジェンダーやセクシュアリティの規範化されたコードから逃れがたかった、むしろそれらが強固に発動している場面を目撃する、という現代の中で、コード化されたプログラムの改変に自由を夢見る手法は通用しにくいかもしれない。

サイバー空間においても時間が蓄積《ちくせき》された現在では、フェミニストたちは自由な未来の想像ではなく、むしろ過去を振り返りその中で想像と創造を記録することが多いかもしれない。『Cyberfeminsim Index』自体がその成果のひとつだ。それは歴史を刻みながら同時に読者が自由に時間軸を無視して歴史を読み解くきっかけを与える。

二〇一〇年代に流行したヴェイパー・ウェイヴ[*4]と呼ばれる音楽とそのMVのスタイルは、過去をユートピア的に振り返ることで、あり得なかった自分たちの良き過去を想像しようとする現象でもあった。Vektroid[*5]をはじめ、トランスジェンダーの作家が活躍したこのジャンルでは、音にノスタルジックな加工が施され、九〇年代のPC画面やCG、ビデオ映像を模倣したりミックスした映像が使用される。

ゲームの中でも、フェミニズムやセクシュアル・マイノリティを題材にした個人制作の作品の中で、ドット絵[*6]やポリゴン数[*7]の少ないカクカクした3DCGのような、九〇年代のコンピューター・グラフィックスが

＊1　ミンディ・セウ (Mindy Seu)
一九九一年生。アメリカのデザイナー兼研究者。

＊2　ミンディ・セウ『Cyberfeminsim Index』(Inventory Press／二〇二三)
https://cyberfeminismindex.com/

＊3　ゲームブック
物語の展開に分岐があり、読者はそれを選択しながら読み進め、ゲームとして楽しむことができる書籍。

＊4　ヴェイパー・ウェイヴ
二〇一一年ごろからインターネット上で流行した音楽ジャンルの一つ。八〇〜九〇年代的のスムースな音楽をサンプリングし、テンポを落とし加工を重ねて特有のサウンドを作り出す。

＊5　Vektroid
アメリカの音楽家。一九九二年生。ヴェイパー・ウェイヴの創始者の一人。

＊6　ドット絵
小さな正方形（ドット）を敷き詰めて描かれた絵。

＊7　ポリゴン数
3Dを構成する面（ポリゴン）の数。粗いほど角ばったデザインになる。

使われることもある。そのようなCGの使用自体がどこかSF的にも思える。なぜなら、ノスタルジックなこうしたCGはかつては未来的だったからだ。

ノスタルジックなその表現は存在しなかった過去を想起させる。私はここに、クィアネスやトランスジェンダーの経験を読み取りたい。時にセクシュアル・マイノリティは自身のアイデンティティを隠すために、過去を想像に頼って語る必要に迫られる場面がある。また、そうした人々は差別により辛い子供時代を過ごすことがあり、その抑圧はより良かった過去の想像へと誘《いざな》う。マイノリティにとって、ありえたかもしれない過去の想像は、とても身近なものなのだ。

私の場合も（私はパンセクシュアルだ。意味がわからなかったら調べてみてほしい）それは例外ではなかったが、ヴェイパー・ウェイヴを視聴していると、存在しなかったユートピア的過去を思い出すような、また過去を作り出すような不思議な感覚になる。それ自体がSF的な体験のようだ。

Girli[*1]やGirl in red[*2]のようなレズビアンソングを作り続ける歌手は、MVの中で九〇年代のヴィデオカメラの質感を再現している。架空のクィアなユートピアとしての過去は、苦しい時代を生きてきた人間の慰めなのだろう。

もちろん、そこにはインターネットの存在が孤立しがちなマイノリティを結びつけていき、フェミニズムがサイバー空間に期待を寄せていた時代を、インターネット空間がディストピアのような存在になり果てた現在から、ユートピア的に記念し記録するような意味もあるのだろう。

＊1　Girli
イギリスのシンガーソングライター。一九九七年生。

＊2　Girl in red
ノルウェーのシンガーソングライター。一九九九年生。

3　過去を想像する時間を飛び越える

マイノリティの歴史や過去の想像をＳＦ的な技法を用いて行うことは、大作映画の中でも行われてきている。『エターナルズ』[*1]を筆頭にした近年のマーベル・シネマティック・ユニバースのスーパーヒーロー作品はその代表例だろう。

『エターナルズ』では現代的なカテゴリーとしてのマイノリティたちのアイデンティティを、神話の時代までの過去に投射し、マイノリティの神話を形作る。現代社会の中で構築されたアイデンティティの多様性を過去に反映するのは、アナクロニスティックな誤りなのではなく、むしろそのようにしか語れないものを語るためのＳＦやファンタジーの技巧だ。

架空の過去や未来を想像することは常に現代のコードから自由にはなれない。それは物語を書き読むことの中に元から存在するアナクロニズムである。ＳＦのような想像力はそのアナクロニズムを自覚的に作動させることができる。

現代の中の社会や文化の不平等を慰めるような表現を過去と未来に投影するのは、元からある時代の錯誤を認識した上で行われる過去と未来のラディカルな再定義だ。

伴名練《はんなれん》による短編「ゼロ年代の臨界点」[*2]（二〇一〇）は一九〇〇年代の女性ＳＦ作家の活躍という架空の歴史を語っていく作品だ。存在しなかった存在の歴史を事実のように語っていくこの作品は、ＳＦという枠組みの中でＳＦを語りつつ、想像による過去を示すことで、ＳＦの歴史の中で女性が軽視されてきたことを問いかける。そこでは一九〇〇年代の女性作家が、特に作中で登場するいわゆる少女小説作家が、現在なお軽く見られているという問題が提起されつつ、それとＳＦにおいて過去の女性たちの存在がいまだに軽く見られていることが重ね合わせられている。この重なりと架空の過去は、読者に想像を求め、またその想像の

＊1　『エターナルズ』（クロエ・ジャオ監督／二〇二一）

＊2　伴名練「ゼロ年代の臨界点」初出：『Workbook93　ぼくたちのゼロ年代』（京都大学ＳＦ・幻想文学研究会／二〇一〇）／再録：『年刊日本ＳＦ傑作選　結晶銀河』（創元ＳＦ文庫／二〇一一）

先にある未来を想像させる。

もしもこのようなSFの記述があったなら、今のSFにおいて女性の歴史がもっと重視されているのではないか。今がそうではないのだとしたら、それはなぜなのか。それは、歴史を記述し記録するのがマジョリティであることを考え、また歴史の中に架空ではなく実在していた女性たちを消した構造の問題を考える糸口になる。時間軸を往来しながら作り上げられる歴史の想像は、SFが持つアナクロニズムが持つマイノリティへの接近と、SFというジャンルが持つ問題点を鋭く指摘する。

レズビアン文学を研究するカーラ・フレッセロ[*1]はレズビアン文学というカテゴリーが常にアナクロニズムの中にあることを指摘している。なぜならレズビアンという言葉は現代において定義されているアイデンティティの言葉であり、それを現在から過去に当てはめることは、正しい時系列からそれてしまうからだ。

この時系列の流れから外れた時間は、〝クィア・タイム〟でもある。クィア・タイムはクィア理論家のジャック・ハルバースタム[*2]らによって提唱された時間の捉《とら》え方だ。

異性愛規範によって作り上げられた人生の直線的な時間、例えば成長、入学、卒業、入社、結婚といった時間から、異性愛規範に当てはまらない人々は常にこぼれ落ちていき、一定の未来を描けない。それだけでなく、同時に青春が四十歳になって始まったり、性徴が何度も起きたりする。

このような時間はネガティブな差別によって作られたものだが、同時に規範を揺るがす力を持ち、また規範から逸脱した楽しさを持つ。

そして作られた時間を行ったり来たりするアナクロニズムの側面があるこのクィア・タイムは、私がこれまで説明してきたSF的な時間に近しいものでもある。SFはつねにクィア・タイムだったのだ、と言ってもいい。

すぐに過去になっていく現在から遠い過去や未来を想像し、現在のコードをそこの中で意図的に作動させ、現実には起きないような突飛な出来事が起きる。

＊1　カーラ・フレッセロ（Carla Freccero）カリフォルニア大学サンタクルーズ校文学部卓越教授。クィアスタディーズやフェミニズム、欧州文学、動物学などを研究。主著に『Queer/Early/Modern』など。

＊2　ジャック・ハルバースタム（Jack Halberstam）一九六一年生。コロンビア大学教授。著書にFemale Masculinity(Duke University Press, 1998)他。邦訳が刊行されているのは『失敗のクィアアート』（藤本一勇訳／岩波書店／二〇二四）

突飛な出来事は、現実社会における規範や差別構造を暴き立てるものでもある。なぜある出来事が突飛と判断され、センス・オブ・ワンダーになるのか？　その判断の背景には常に受け手と書き手の間に共有された当たり前が存在している。それはときに危険なものにもなる。

ドラマにもなったマット・ラフの二〇一六年の小説『ラヴクラフト・カントリー』[*1]はなにが怪奇とされるかの規範を問う作品だ。一九六〇年代のアメリカを舞台に、当時のアメリカにおける黒人差別と小説家H・P・ラヴクラフトによるホラー小説で描かれた怪異が重なり合っていく。

そこで示されるのは、誰《だれ》がホラーの中で恐怖の対象とされ、誰《だれ》がホラーの主人公とされてきたのか、ということと、人種差別の結びつきだ。マイノリティの人種は恐怖の対象とされ、マジョリティの人種が主人公となる。これまでセンス・オブ・ワンダーの対象とされてきたものが、実は現実の差別に結びついたものだったことを問いかけるのだ。

センス・オブ・ワンダーを伴う飛躍は規範に疑問を突きつけるきっかけにもなるが、その飛躍がなぜそんなにも飛んでいるように思えるのか、ということを深く問わなければ、差別の追認にもなる。また過去の美化や想像も、過去と向き合う理由を忘れれば危険なものになるだろう。『ラヴクラフト・カントリー』はジャンルに内在する差別のあり方を突きつける。

4　SFの想像力が失敗し差別に加担する時

SFはときに、SFが持つ想像力の可能性を取りこぼす。伊《い》藤計劃《とうけいかく》の『ハーモニー』[*2]はSFの想像力が持つ豊かさと、それが取りこぼすものが、強いコントラストを描く作品だ。

＊1　マット・ラフ『ラヴクラフト・カントリー』（茂木健訳／東京創元社／二〇二三）

＊2　伊藤計劃『ハーモニー』（早川書房／二〇〇八）

百合SFとしても知られるこの作品では、健康が極めて厳格に管理され、身体が社会の〝豊かさ〟のために使われる近未来を舞台にする。しかし、「このからだも、このおっぱいも、このおしりも、この子宮も、わたしのもの」[*1]という印象的なセリフに反して、この社会で出生がどのように扱われるかは語られない。

国家による身体と健康の管理は出生と差別に結びついてきた。そしてそれは決して過去のことではない。日本でも旧優生保護法のように、特定の人間の出生を禁じることが近年まで行われてきたし、それをめぐる裁判は二〇二三年も続いている。女性の同性愛者のカップルの出産をめぐってもその存在が制度で想定されておらず、二〇二三年に提出される予定だった新規の生殖医療法案ではより同性カップルに厳しくなる事態が想定され、反対運動が行われた。戸籍上の性別を変更する手続きにおいても、手術による生殖能力の放棄が求められており、これは二〇二三年に違憲判決が下された。

『ハーモニー』の中で身体の管理は主に健康と意識の問題として扱われ、身体の管理がもつ差別の問題にはあまり言及されなかった。戦場における性犯罪が物語の起点としてクローズアップされるが、身体の管理において犠牲となる属性をめぐる事象については語りを避けていた。

もしも『ハーモニー』を百合SF——女性間の同性愛をはじめとした様々な関係にフォーカスした作品——として読むのであれば、こうした点には疑問を投げかけざるをえないだろう。『ハーモニー』は身体の管理について大きな問いを立てたが、自身が主役に据《す》えた女性の身体について語ることには失敗し、取りこぼしてしまっていた。

SFの想像力が自身の語りに埋め込まれた差別をより残酷で差別的な形で見落とすのが、SFにおけるトランスジェンダーの扱いだ。SFの中でトランスジェンダーは架空の存在のように扱われ、一方的で現在の差別の延長にある想像の中で描かれてきてしまった。そこでは性別移行が未来のテクノロジーであるかのように扱われ、性と身体をめぐる物語が、トランスジェンダーの体験と関係なく描かれる。

＊1　伊藤計劃『ハーモニー』（早川書房／二〇一〇）13ページより引用。一部改。

ジョン・ヴァーリイの『ブルー・シャンペン』[*1]をはじめとする一連の作品は、SFの詩的な美しさがよく表れた作品だが、トランスジェンダーの存在を無視したSFの残酷さが表れた作品でもある。ヴァーリイの描く世界では、性別を変えることが現在よりも気楽に行われている。しかし、それは性別にまるわるセクシュアル・マイノリティの感じ方を描くというよりも、それらについて考えてこなかった人のバケーションとしての性別移行だ。

いつでも〝元の〟性別に戻るというつもりで行われる性別の変更は、身体や身体を変えることによる差別の経験を伴わず、ただ別の性を、観光するかのように味わうだけのものとして語られていく。

これは同じく性別を移行することが気楽な世界を舞台にするタニス・リーの『バイティング・ザ・サン』[*2]にもみられる問題点だ。

そしてまた、ヴァーリイの小説やリーの小説の中では、カップルの大半が異性の身体を持つと認識した状態であることにより、性別の移行は同性を愛する人の経験を無効化し異性愛規範を強化するものとして描かれる。実際のところ、こうした問題点はトランスジェンダーへ投げかけられる差別に類似している。トランスジェンダーはときに、性別の規範を強化しているとみなされ、また同性愛者が異性愛に適応することで起きると言われる。

繰り返すがこれらの言葉は差別に過ぎない。そこでは、日々の生活の中で自分の性別を誤って受け取られるトランスジェンダーが抱える苦しみや、性別の規範に従うことが常に性別の規範を強化するわけではないこと、トランスジェンダーだけが常に〝問題〟とみなされること、そしてトランスジェンダーの人々が長年抱える葛藤《かっとう》が無視されることで、これらの差別発言がなされる。

そして、こうした差別を作り上げるトランスジェンダーの言葉や生活の無視は、上記のSF小説にみられる特徴でもある。ある意味で、トランスジェンダーへの差別の根拠を生産しているのが、これらの小説に見

＊1　ジョン・ヴァーリイ『ブルー・シャンペン』（朝倉久志訳／早川書房／一九九四）

＊2　タニス・リー『バイティング・ザ・サン』（環早苗訳／産業編集センター／二〇〇四）

られるような性別移行に対する勝手な想像力なのだとも言えるだろう。想像力を過信し、想像が現在の、そして過去の差別によって縛られることを無視すると、ＳＦの想像力はその可能性を裏切ってしまいかねない。

近年の作品でも男性が女性に性別移行して出産を行う世界を描く田中兆子《たなかちょうこ》の『徴産制』[*1]のような作品は、女性差別の現実を鋭く描きながらも、トランスジェンダーの生とは重ならず、性別移行は物語を語るための装置になっていた。

これらの作品はもちろん、セクシュアル・マイノリティの文学として分析をして、そこにどのような規範の転覆があり、またそれがどのように当事者の生に資するのか、といったことを考える対象になる。そうした可能性は、書かれた時代における規範や差別のあり方、文化の状況とともに考えられるべきだろう。

しかし、今書かれるＳＦにはもっとＳＦが持つ可能性を自覚的にとらえてほしいという思いがある。

5　フェミニズムとジェンダーと言語ＳＦ

最後に、ＳＦの持つジェンダーやフェミニズムを語る可能性のひとつとして、私はここで言語をあげたい。前述の伊藤計劃もそうだが、山田正紀[*2]や神林長平[*3]の作品など言語ＳＦと呼ばれるような言語を題材にしたＳＦには枚挙にいとまがない。それらの中では言語が個人の世界に対する見方を変容させ、社会を規定する様子が描かれる。

そしてまた、フェミニズムやクィア・スタディーズこそ、言語というものを考え続けてきたのである。エレーヌ・シクスー[*4]やリュス・イリガライ[*5]といったフランスの哲学者たちは、言語が持つ男性性と、女性性の排除を指摘し、エクリチュール・フェミニンと呼ばれるような女性の言葉を模索した。言語はすでに様々な点で

＊1　田中兆子『徴産制』（新潮社／二〇一八）

＊2　山田正紀（やまだ・まさき）小説家。一九七四年、『神狩り』（『Ｓ-Ｆマガジン』一九七四年七月号）でデビュー。一九八二年に『最後の敵：モンスターのＭ・ミュータントのＭ』（徳間書店）で第三回日本ＳＦ大賞を受賞。

＊3　神林長平（かんばやし・ちょうへい）ＳＦ作家。一九五三年生。一九七九年、第五回ハヤカワＳＦコンテストに佳作入選した「狐と踊れ」が『Ｓ-Ｆマガジン』に掲載されデビュー。

＊4　エレーヌ・シクスー（Hélène Cixous）一九三七年生。フランスの作家、劇作家、詩人、哲学者、批評家、フェミニスト。

＊5　リュス・イリガライ（Luce Irigaray）一九三〇年生。ベルギーの哲学者、言語学者。専門は、フェミニズム思想、精神分析学。

男性を標準としており、また言語の使い方には性差による偏見が潜み、女性に振り分けられたようなやわらかい言葉の使用は劣位に置かれる。

そうした言語はすでに男性優位な世界を作り上げており、女性がそれに抗《あらが》うような姿勢の言語の使用は、言語の基準から外れているか、取るに足りないか、あるいは規範を内面化しているとされ、評価されない。

クィア理論を作り上げた一人でもあるジュディス・バトラー[*1]もまた、言語にこだわっていた。バトラーはイリガライを、性差を身体に基づき本質化しているとして批判しつつ、言語に関するフェミニズムの理論を発展させ、言語がジェンダーを身体の上に刻み、起源を持たない概念が物質化する過程を分析した。そこでは言葉を含む様々な発話に注目が置かれ、社会による呼びかけに対して、個人が反抗しまたそれに応えることでアイデンティティが形成される。

横田祐美子[*2]はバトラーの批判を受けつつ、イリガライらのフェミニン・エクリチュールを本質的な性差に根ざすものではないとして理論を発展させている。

これらのフェミニズムやクィアの領域の中での言語をめぐる分析と実践は、様々な言語のあり方が差別を再生産し、その中で人々が言語を用いながら抵抗していく果てしない旅路でもある。

そしてそれは言語ＳＦが描いてきた言語と世界の関わりと重なるものでもあり、これらのフェミニズムやクィア理論はすでにＳＦであったのだ。どちらも言語によって社会が構成され、それによって人が作られることを描いて来た。

＊1　ジュディス・バトラー（Judith Butler）一九五六年生。アメリカの哲学者。一九九〇年に刊行した主著『ジェンダー・トラブル』は、現代フェミニズムやクィア理論のひとつの礎となっている。

＊2　横田祐美子（よこた・ゆみこ）研究者。専門はジョルジュ・バタイユの思想、現代フランス哲学、ジェンダー論等。

おわり

ＳＦと社会の関わりのあり方として、ＳＦが描く未来について考えるものは多い。しかし私はＳＦが描く未来を考えるよりも、ＳＦが描かれた過去を考えたい。

その中で描かれる未来はどのような状況で、どういう背景によって要求されたのか、それは過去のある地点でどんな風に未来を描くことに成功し、またある地点ではどうやって未来を描くことに失敗したのか。それは未来を先端として、未来と現在、現在と過去、という風に真っ直ぐに並べられた時系列を疑い、積極的に破壊していく行為としてのＳＦである。

これからのＳＦとは、今から未来へ向かう直線やその直線の塊《かたまり》ではなく、時間軸を往復する中で語られ、読まれ、また書かれるものであると思う。

最後にもう一度、こうしたＳＦの持つ力がＳＦにずっと内在してきたことに注意を促したい。ＳＦが進展したり、発達したから、あるいはＳＦが偉いから、ＳＦがマイノリティの想像力と重なったりするのではなく、ＳＦは常にそのようなものであり、そこに変化があるのだとすれば、なぜそれが変化だとみなされるのか、が問われなければならない。

WIRED

小説にかかわるお仕事 ⑤

SFの想像力を社会へ

様々な仕事やプロジェクトで、未来をフィクションとして想像するSFの力が思わぬ力を発揮《はっき》することがあります。メディアとして、そしてSFプロトタイピングの研究所を通して、〝if〟の想像力を社会に浸透させている『WIRED』日本版の編集者の小谷知也《こたにともなり》さんに話を伺いました。

未来を思考するメディアにSFの力を

テクノロジーがもたらす生活、社会、カルチャーの未来を見通すメディア『WIRED』。その〝日本版〟で、ここ数年SFが注目されています。二〇二〇年には「SFプロトタイピング」特集が組まれ、同時に、SF作家の力をビジネスに活かす〈WIRED Sci-Fiプロトタイピング研究所〉が設立されました。小谷さんは、小説や漫画といったフィクションには、紹介したい新しい概念の本質をギュッと圧縮して伝える力があると言います。

小谷さんは、二〇一一年の『WIRED』日本版の立ち上げから、編集者／ライターとして関わり始めます。当初は、ゲームや漫画といった日本のカルチャーを欧米の読者に発信していこうという観点から、日本のSF作家を紹介したり、対談記事を掲載していたそうです。

その後、視覚的なイメージとして漫画を取り入れてみようという観点から、AIを扱った第十九号にうえむらさんによる読み切り漫画「シンギュラリティ・ロック」を掲載。すると読者からの反応が良く、特集のテーマを伝えるための補助線として、フィクションの力を活かしていく可能性が見えてきました。

その後小谷さんは二〇一八年に『WIRED』日本版の副編集長に就任します。第三十一号「NEW ECONOMY ぼくらは地球をこうアップデートする」特集では、『WIRED』日本版として初めてSF小説、樋口恭介《ひぐちきょうすけ》「ニュー（ロ）エコノミーの世紀」を掲載。その後は宮内悠介《みやうちゆうすけ》さん、柞刈湯葉《いすかりゆば》さんなど、多数の作家がSF小説を寄稿しています。

〈ブロックチェーン〉や〈コモンズ〉といった、『WIRED』で紹介している新しい技術や概念には視覚的なイメージがないことが多く、また、未来に起こり得る事象を語る際には、実態そのものがまだないというケースもあります。テーマについて説明した文章と抽象的なビジュアルイメージだけで読者に理解してもらうには、どうしても困難がつきまといます。そこに漫画や小説といったフィクションを入れることで、本質を圧縮してスピード感を持って届けることが可能になったり、少しハードルが高く感じてしまう特集のテーマへのとっかかりとして読んでもらうことができるようになりました。

またSF作家たちは、『WIRED』で伝えたいと考えている概念が当たり前になったその先の世界を描いてくれるので、特集のまとめとしても、うまく機能するそうです。小説を読んで新しい技術や概念がもたらした価値観や文化や社会の変化を具体的にイメージして腹落ちしたところで、翻《ひるが》って、特集のテーマや他の記事がどういう意味を持つのかをもう一度考える。そうした循環を誘発する力が小説にはあるため、必ず特集の最後に掲載するのだそうです。

例えば、「FOOD: re-generative　地球のためのガストロノミー」という特集では、柞刈湯葉さんが月面研究施設のトイレを扱った「土なき月の基地の土」という小説を寄稿されています。「食の未来と微生物などをテーマに……」という編集部からの依頼に月のトイレの話で応答してくださった柞刈さんの想像力に、「さすがです」と賛辞を贈る小谷さん。「社会の状況が変わった時に、人が人間らしい営みをするには何が必要で、何がペイン（痛み）になるのだろうか……。そういう想像力が、今の社会には足りていない気がします。そうした部分が物語になる意味って、すごくあると思います」

雑誌『WIRED』VOL.40
「FOOD: re-generative:
地球のためのガストロノミー」

小説の読者としても、『WIRED』で掲載される小説は、文芸誌や書籍とはまた違った楽しさがあります。例えば、「NEW COMMONS　コモンズと合意形成の未来」という特集に寄稿されている宮内悠介「最後の共有地」は、ブロックチェーンが題材の小説です。ブロックチェーンについて知らなくても小説として楽しむことはできますが、前後の記事によって関連情報を知りながら読むことで物語の核の部分を深く掘り下げることができます。解題や解説とも違う〝響き合い〟によって、その作品の持っているポテンシャルを引き出すことができるのです。

そういう意味で『WIRED』では、文芸誌とは異なる仕方で、SF作家のポテンシャルを引き出しているということもできるでしょう。「現実に〝if〟を持ち込むSF作家の才能を、閉じてしまってはもったいない」と語る小谷さんからは、社会全体の中にSFが染み出していくと社会が少し良くなるという、SFの想像力とSF作家への信頼を感じました。

またこれは実はすごく大事なことだと思いますが、作家として生計を立てていくことを考えた場合には、SFプロトタイピングで金銭的に条件の良い仕事ができることは、作家にとっても大切なことだと思います。

劇場版の《うる星やつら》シリーズや『地球《テラ》へ…』『幻魔大戦』といった八〇年代の名作映画にリアルタイムで接していたという小谷さん。当時はそれをSFだと意識することなく、身近に接していたエンタメが、後から振り返るとSFだったので、いつの間にかSFを好きになっていたそうです。

言われてみると、日本のアニメや漫画には、当たり前に〝if〟の思考が持ち込まれていて、私たちはSFと意識することなくSF的なコンテンツに日常的に触れています。そしてそれは恩恵なのだと小谷さんは言います。猫型ロボットが日常生活にいる未来を、違和感なくイメージできる。そんな日本の文化にとって、『WIRED』で実践している、〝if〟の想像力を社会に持ち込むということは実はとても馴染《なじ》みやすいことなのかもしれません。

また小谷さんは、子どもの頃《ころ》にSF作品をたくさん摂取する中で、表現には内容に見合った様式（フォーム）がある、ということを体感として身につけていったそうです。例えば「ウルトラマン」は超常的な存在なのでロングショットで畏怖《いふ》の雰囲気を出していますし、逆に「仮面ライダー」はアクションものなので、カットを割って勢いを演出しています。それはコンテンツの本質的なところを様式で表現していると言うこともできるでしょう。むしろフォームにこそ本質的なメッセージがある、と言えるかもしれません。

デバイスの変化、メディアの変化も表現形式に変化をもたらします。『WIRED』というメディアが、どのような形式でフィクションを世に送り出すのか、そしてそこでどんな表現が生み出されるのか、今後も楽しみにしたいと思います。

SFの想像力を社会へ

そしてこの、〝if〟の想像力をもっとビジネスの世界に浸透させるべく設立されたのが〈WIRED Sci-Fi プロトタイピング研究所〉です。二〇二〇年からは Covid-19 の感染拡大が世界中に影響を及ぼしました。そして人工知能の急速な成長によって、世界のパラダイムが変化するかもしれません。行政や企業で働くみなさんが社会の大きな変化に直面し、これまでの事業の延長ではやっていけないなと感じることがあった場合に、〝フィクショナルな想像力〟が打開案を探るひとつの手助けになるかもしれません。

〈WIRED Sci-Fi プロトタイピング研究所〉は、依頼者の希望を汲《く》みつつ、より議論が湧《わ》き起こりそうなSF作家さんをセレクトし、マッチングするプラットフォームのような存在です。研究所では、描くべき未来の方向性を模索する〈仮説〉、それに基づいてストーリーを描く〈科幻〉、その未来にたどり着くための変化点を探る〈収束〉、それをプロダクトやサービスに繋《つな》げる〈実装〉という四つのステップをSF作家と一緒に歩むワークショップを、〈SFプロトタイピング〉として提供しています。物語として未来を想像することで理解しやすくなったり、そこに自分のアイデアを接《つ》ぎ木《き》しやすくなったりする、そんな手助けになったらいいなと思っているそうです。

ただ、ここで大切なのが、これは決して〝未来予測〟をしようという話ではないということです。どのような未来が来るかは誰《だれ》にもわかりませんし、予想の正確さを競うことには意味がありません。研究所が提供しているのは、未来をフィクショナルに想像しようという、いわば考え方の〝型〟のようなもの。ひとつの未来を予想するのではなく、〈Futures〉という複数形で未来を想

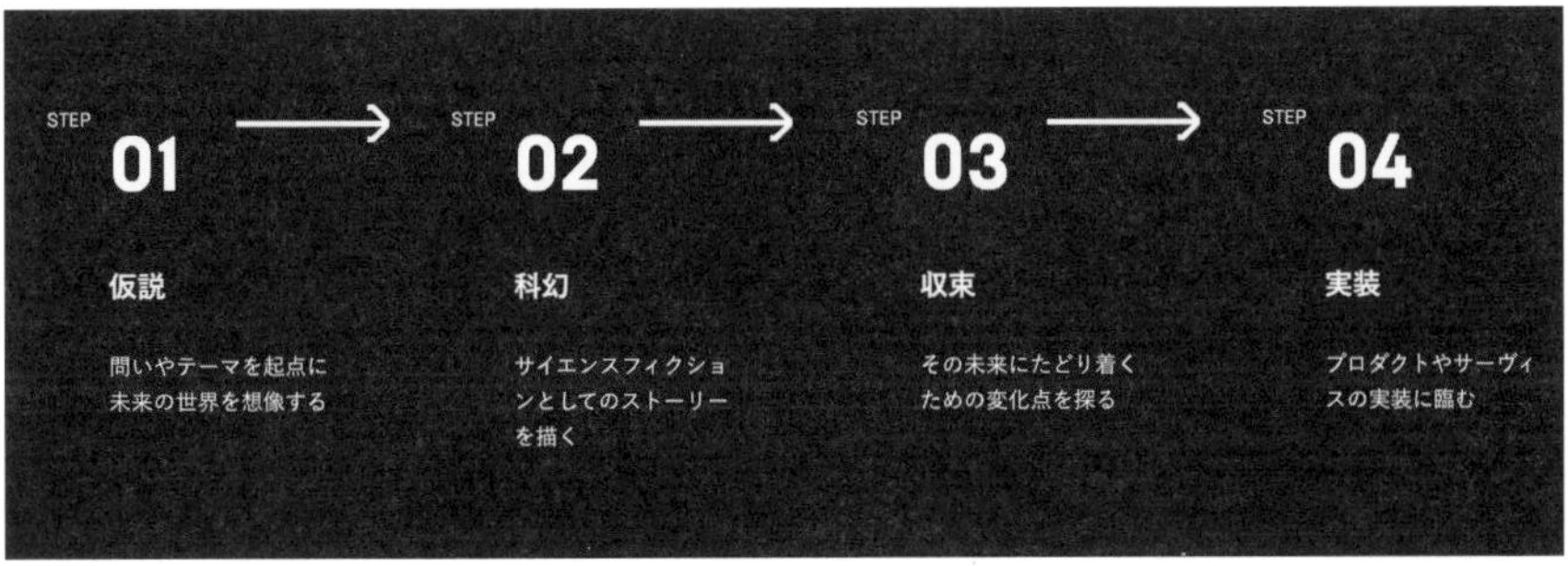
STEP 01
仮説
問いやテーマを起点に未来の世界を想像する
STEP 02
科幻
サイエンスフィクションとしてのストーリーを描く
STEP 03
収束
その未来にたどり着くための変化点を探る
STEP 04
実装
プロダクトやサーヴィスの実装に臨む

©WIRED Sci-Fi プロトタイピング研究所
https://wired.jp/sci-fi-prototyping-lab/

像し、未来の可能性や選択肢をどんどん増やしていく、それこそがSFプロトタイピングの役割なのです。

そしてそこで大事にしていることとして小谷さんが紹介してくださったのが、〈マルチ・スピーシーズ〉（多種）と〈グッド・アンセスター〉（よき祖先）という考え方。私たちはどうしても人間を中心に考えてしまいますが、地球には当然、動物・植物・菌類もいれば、鉱物もあります。その一方で、人工知能、ロボット、アバターなどのサイバーな存在もいます。それら全部を多様な種だと捉《とら》え、人間はそのうちのひとつでしかないといった具合に、相対化して考えていきましょうというのが〈マルチ・スピーシーズ〉です。

そして、例えばここにダムを作りましょうという場合には、いろんな利権者との合意形成が必要です。しかし、唯一そこに参加できないのが、まだ生まれていない未来の人たち。だからこそ私たちは、未来の人

たちがどんな暮らしを強いられるのだろうという想像力を働かせないといけません。そのような〈よき祖先〉であるためにも、SFプロトタイピングの想像力は役立ちます。

月面の研究施設のトイレについて想像した柞刈湯葉さんのように、人の営みを具体的に想像する力が、今の社会には必要だと小谷さんは強調します。

「自分たちがこれからやるビジネスやサービスが、未来にどのような影響を与え得るのか。その点をより強く想像していく必要があると思います。さらに重要なのは、どんなアクションや事業、ビジネスをするにせよ、底流にあるのは人の営みがどう豊かになるかという、いわゆる『Well-being』の視点を欠かさないことだと思います。『未来はどうなってるんだろう』って想像を働かせた場合、ほぼ間違いなく登場人物、つまりは『人』を想起しているはずです。その時代に人間がどんな営みをして、何を嬉《うれ》しいと考え、何を痛みと感じているのか……要は未来のWell-beingがどうなってるのかを想像しやすいフォーマットがSFであり、〝if〟の想像力だと思います。

未来世代に対して意味あるアクションを起こしていくためには、未来をフィクショナルに想像することが必須《ひっす》だと考えるのは、そうした観点からです。そして、そのための知見を驚くほど有しているのがSF作家の方々です。彼ら／彼女らの知見は、もっともっとビジネスや研究や行政の現場と接続されていくべきだと、心から思います」

二〇二四年二月　聞き手・井上彼方

小谷知也（こたに・ともなり）

『WIRED』日本版エディター・アット・ラージ。中央大学法学部政治学科卒業後、主婦と生活社を経てエスクァイア マガジン ジャパンに入社。『エスクァイア日本版』シニアエディターを務めたのち、二〇〇九年に独立。『BRUTUS』『GQ JAPAN』『T JAPAN』等のライフスタイル誌で編集・執筆に携わる一方、二〇一一年の『WIRED』日本版のリブートに際し立ち上げから参画。二〇一八年、『WIRED』日本版副編集長就任。二〇二〇年、〈WIRED Sci-Fi プロトタイピング研究所〉所長就任。二〇二三年より現職。

あとがき

ゲラを読み終えて心底「こんな本が欲しかったなあ！」と思いました。そんな本です。

私は日本ＳＦ作家クラブの第二十一代会長ですが、これまでプロ作家として活動した経験が一切ない、初めての会長です。とはいえ、物語を読むことは好きでしたし、趣味で小説や漫画、ゲームを作ったりもしていました。ですが、プロとして活動する、ということについては、ついぞできていない人間です。

本書ができるまでの経緯を少し、お話しさせて下さい。

私はロボットや人工知能の研究をしている研究者です（専門はヒューマンエージェントインタラクションという、人と意図を持つ人工物との相互作用の研究ですが、まあ、ロボットやＡＩを研究していると思っていただければ大丈夫です）。子供の頃《ころ》は小説や漫画でＳＦを読んでいましたし、今も大好きです。

ロボットやＡＩの研究に進んだ人の中には、私も含めて、ＳＦの影響を受けた人がいました。そうした影響を調査するため、二〇一八年から何人かの研究者とともに、ＳＦと科学技術の関わりを研究する、というプロジェクトを始めました（本書でＳＦプロトタイピングについて解説いただいている宮本道人《みやもとどうじん》さんは、その時の仲間であり、今も同じ慶應《けいおう》ＳＦセンターで研究をしています）。

その調査のため作家の長谷敏司《はせさとし》さんにご協力をお願いしたとき、ＳＦに関して調査をするならば、ぜひクラブに加入したほうが良い、というお話を受け、私で大丈夫かなあと思いつつ、入会しました。その後、プロジェクトとしてやるなら理事になって欲しい、という依頼を受け理事になり、気づいたら前会長の池澤《いけざわ》春菜《はるな》さん（声優として有名ですが、ＳＦ書評や小説家としても活躍されており、また、別名義では以前から脚本や小説も書かれていたマルチタレントな方です）から、会長をやらないか、というお話が来ました。

なので私は、たぶん歴代の会長の中で、もっともみなさんに近い人間です……いや、もし少しでも小説を書かれて発表されている方がおられたら、むしろ私よりもみなさんのほうが、作家に近いと思います。

池澤さんからお引き受けした際に一つ言われたのが、二〇二三年にクラブが六十周年をむかえるということでした。無理のない範囲で、記念のイベントができれば良いなあ、という話がありました。

日本ＳＦ作家クラブは、かつて創立五十周年の際に、当時の瀬名《せな》秀明《ひであき》会長や東野《とうの》司《つかさ》会長がアンソロジーを組んだり、子供向けのエッセイ集を作ったり、記念イベントを行ったり、様々な企画を行ったことがあります。例えば、人工知能学会という学会と共同で、学会誌にショートショートを載せたこともありました。これは私自身が人工知能学会側の編集委員として担当したこともあります。

当初、作家としての実績のない私には、そうした多数の関係者を動かすような大型の企画は正直難しいと思いました。しかしよくよく考えると、作家でない私にしかできないこともあるかもしれないな、と思い始めました。

六十周年というのは、人間でいえば「還暦」にあたります。還暦はお年寄りのためのお祝い、というイメージが強いですが、本来は干支の一周を意味しており、「生まれ変わり」という意味があります。なので、この年はクラブの「生まれ変わり」の年とも捉《とら》えられます。

日本ＳＦ作家クラブが誕生した一九六三年と、六十周年を迎えた二〇二三年は、何もかもが違います。現在は出版環境も激変しており、一方、インターネット環境は普及し、作品を発表する場所は増えました。生成ＡＩのように、物語の執筆を手助けし、あるいはその一部を置き換えるほどの驚異的な技術も登場してきています。かつて著名な作家たちがショートショートを載せた広告雑誌のような媒体は極めて少ないですが、一方で、作家自身が専門家と共同で作品を作るSFプロトタイピングのように、作家の想像力を別の形で取り入れる試みが次々と出ています。

クラブもこうした流れに呼応するように、様々な改革を近年行ってきました。文芸団体としては極めてデジタル化されていますし（Slackというコミュニケーションツールを使いこなしています）、行動規範（コード・オブ・コンダクト）のような、ハラスメントを避けるための枠組みも積極的に設置しました。業界団体として、核の脅威からインボイス制度、生成AIまで、様々な問題に対する声明を発表し、あるいは海外のSF作家団体たちとの交流も行っています。SFプロトタイピングについても、作家を守るための調査を行ったりしています。

しかし、SFコミュニティにおける様々な流れや改革は、外にうまく伝わっていない気がしていました。SFに関わっているという話をクラブ外の企業の方や研究者の方にするとき、SF作家として名前が出てくる方々は、既《すで》に名前を確立した、著名な方々です。そうすると、どうしても二十年くらいのギャップができてしまいます。今SFで起こっている様々な新しい流れや、作家たちの環境がうまく反映されていない、と思うことは結構ありました。

なので、六十周年のここを新しいスタート地点と考え、こうした時代に「創作に関わりたい」という人を応援するような企画ができるのではないか、と考えました。

過去ではなく、未来を向く人たちを応援する本。それが、この本です。

本書で意識したことの一つは、新しい作家たちの声を掲載することでした。本書で登場する作家たちは、キャリアの長い作家たちと比べると有名ではありませんが、しかし今の時代の想像力を反映し、次世代につなぐ作家たちです。そうした作家たちの声を聞きたいと思い、二〇二三年の日本SF大会でSFと科学技術、出版と創作、

ＳＦと社会を巡る対談を調査研究として企画しました。この対談が、本書の母体となりました。

その一方で、創作は、作家だけで生まれるわけではありません。

編集者、翻訳者、校正者、デザイナーのような人々が、作家の作品を手助けしています。さらには、アート、研究、コンテスト企画者、近年ではＳＦプロトタイピングのように、創作の想像力は様々な形で広がっています。

そうした人たちに光を当てることも、また重要だと思いました。

本書作成にあたって解説・コラムをいただいた大森望《おおもりのぞみ》さん、門田充宏《もんでんみつひろ》さん、宮本道人さん、近藤銀河《こんどうぎんが》さん、小谷知也《こたにともなり》さんは、そうしたロールモデル（目指したい役割を切り拓く人たち）です。さらには本書で様々なコラムを執筆いただいているＶＧ＋さんも、新時代のロールモデルとなる会社でしょう。


ということで、素晴らしい本ができたと思います。少なくとも作家になりたい人は、この本を読んだほうがいいよ！と自信を持ってお届けできる本です。

そして作家になる人以外にとっても、この本は手助けになると思います。物語をつくる人がどこを大事にしているのか、この本を読めばそこを理解できると思います。研究組織や企業と作家をつなぐとき、わりとトラブルが起きることもありますが、相手を知る一番のコツは、相手の大事にしているポイントを知ることですからね。


というか、欲を言えば、私が会長になる「前」に、こういう本が読みたかったな！

そうすればたぶん、もっとうまく勘所《かんどころ》を押さえて、作家クラブを運営できたと思うんですが。

誰か、この本を昔の私、いや、せめて二年前の私に送ってくれないかなあ……。

大澤博隆

ＳＦ作家はこう考える
創作世界の最前線をたずねて

2024 年 4 月 27 日　初版

編　者　日本 SF 作家クラブ
筆　者　茜灯里・揚羽はな・安野貴博・大澤博隆・大森望・粕谷知世・小谷知也・近藤銀河・櫻木みわ・十三不塔・津久井五月・人間六度・日高トモキチ・宮本道人・麦原遼・門田充宏・柳ヶ瀬舞・藍銅ツバメ
編　集　井上彼方・堀川夢
ＤＴＰ　VG プラスデザイン部
装　画　森優
装　幀　VG プラスデザイン部

発行人　井上彼方
発　行　Kaguya Books（VG プラス合同会社）
〒 556-0001　大阪府大阪市浪速区下寺 2 丁目 6-19 ヴィラ松井 4C
info@virtualgorillaplus.com
発　売　株式会社社会評論社
〒 113-0033　東京都文京区本郷 2-3-10 お茶の水ビル
TEL：03-3814-3861　FAX：03-3818-2808
印刷・製本　株式会社シナノ

ISBN 978-4-7845-4150-8　C0095

KAGUYA Books

2045年、大阪。

大阪SFアンソロジー：OSAKA2045
正井編／北野勇作・玄月・他
1500円（税抜）／社会評論社／978-4-7845-4148-5

万博・AI・音楽・伝統、そして、そこに生きる人々——。そこにあるのが絶望でも、希望でも、このまちの未来を想像してみよう。

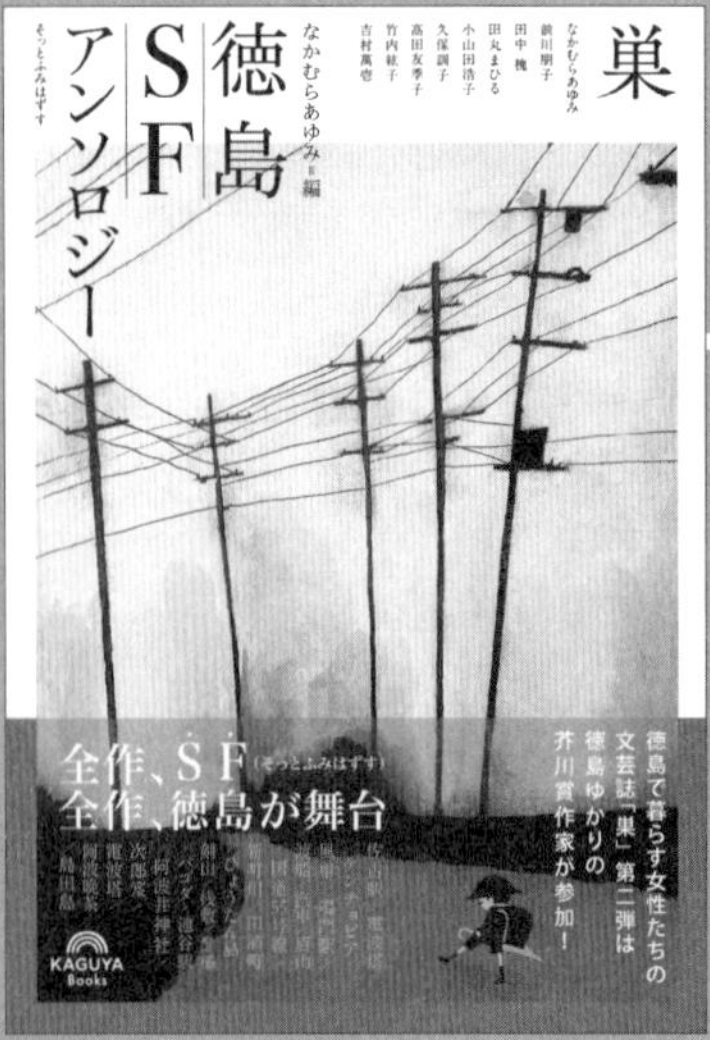

そっと、ふみはずす。

巣　徳島SFアンソロジー
なかむらあゆみ編／田中槐・田丸まひる・他
1800円（税抜）／あゆみ書房／978-4-991333-0-5

全作、徳島が舞台！　徳島で暮らす７人の女性作家と、徳島ゆかりの作家である小山田浩子・吉村萬壱が参加。

観光地の向こう側。

京都SFアンソロジー：ここに浮かぶ景色
井上彼方編／藤田雅矢・麦原遼・他
1500円（税抜）／社会評論社／978-4-7845-4149-2

1200年の都？ いえいえ、わたしたちの棲む町。アート、池、記憶、軒先駐車、松ぼっくり——。妖怪もお寺も出てこない、京都の姿をお届けします。